1권

0001~0500
문장

네이티브는 쉬운 중국어로 말한다

김소희(차라) 저

1000

문
장
편

중국인이 입에 달고 살고, 중드·대드에 꼭 나오는 1000문장을 모았다!

우리말과 중국어를 모두 녹음한 mp3 파일 무료 다운로드

길벗
이지:톡

독자의 **1초**를 아껴주는 정성!

—

세상이 아무리 바쁘게 돌아가더라도

책까지 아무렇게나 빨리 만들 수는 없습니다.

인스턴트 식품 같은 책보다는

오래 익힌 술이나 장맛이 밴 책을 만들고 싶습니다.

길벗이지톡은 독자여러분이 우리를 믿는다고 할 때 가장 행복합니다.

 나를 아껴주는 어학도서, 길벗이지톡의 책을 만나보십시오.

독자의 1초를 아껴주는 정성을 만나보십시오.

미리 책을 읽고 따라해본 2만 베타테스터 여러분과 무따기 체험단, 길벗스쿨 엄마 2% 기획단,

시나공 평가단, 토익 배틀, 대학생 기자단까지!
믿을 수 있는 책을 함께 만들어주신 독자 여러분께 감사드립니다.

홈페이지의 '독자마당'에 오시면 책을 함께 만들 수 있습니다.
(주)도서출판 길벗 www.gilbut.co.kr
길벗 이지톡 www.gilbut.co.kr
길벗 스쿨 www.gilbutschool.co.kr

mp3 파일 다운로드 무작정 따라하기

갈벗 홈페이지(www.gilbut.co.kr)로 오시면 오디오 파일 및 관련 자료를 다양하게 이용할 수 있습니다.

1단계 도서명 ▼ [   ] 검색 에 찾고자 하는 책 이름을 입력하세요.

2단계 검색한 도서로 이동하여 〈자료실〉을 클릭하세요.

3단계 mp3 및 다양한 자료를 받으세요.

네이티브는
쉬운 중국어로
말한다

문장편 **1000**

1권 | 0001-0500 문장

김소희(차라) 저

길벗
이지:톡

네이티브는 쉬운 중국어로 말한다 – 1000문장 편
The Native Chinese Speaks Easily - 1000 Sentences

초판 발행 · 2016년 6월 1일
초판 9쇄 발행 · 2023년 8월 30일

지은이 · 김소희
발행인 · 이종원
발행처 · (주)도서출판 길벗
브랜드 · 길벗이지톡
출판사 등록일 · 1990년 12월 24일
주소 · 서울시 마포구 월드컵로 10길 56(서교동)
대표전화 · 02)332-0931 / **팩스** · 02)323-0586
홈페이지 · www.gilbut.co.kr / **이메일** · eztok@gilbut.co.kr

담당 편집 · 박정현(bonbon@gilbut.co.kr) | **기획** · 이민경 | **디자인** · 황애라 | **제작** · 이준호, 손일순, 이진혁
마케팅 · 이수미, 최소영, 장봉석 | **영업관리** · 김명자, 심선숙 | **독자지원** · 윤정아

편집진행 및 교정교열 · 이혜원 | **전산편집** · 수(秀) 디자인 | **오디오 녹음 및 편집** · 와이알미디어
CTP 출력 및 인쇄 · 예림인쇄 | **제본** · 예림바인딩

ISBN 979-11-5924-043-0 03720
(길벗 도서번호 300855)

정가 16,000원

독자의 1초까지 아껴주는 정성, 길벗출판사

(주)도서출판 길벗 | IT실용, IT/일반 수험서, IT전문서, 경제경영서, 취미실용서, 건강실용서, 자녀교육서 www.gilbut.co.kr
길벗스쿨 | 국어학습, 수학학습, 어린이교양, 주니어 어학학습, 학습단행본 www.gilbutschool.co.kr

"와, 이런 말도 할 줄 알아?"
"너 완전 중국인처럼 말한다!"
"한국인인 줄 몰랐잖아~"

중국인들에게 이런 말을 들을 수 있다면, 중국어 학습자로서는 최고의 찬사 아닐까요? 중국어 말하기, 어렵게 생각하면 한없이 어렵지만, 쉽게 생각하면 생각보다 정말 쉬운 영역입니다. 일반 교재에 담긴 정석 표현으로 기초 내공을 탄탄히 쌓았다면, 이제는 중국 현지인들이 잘 쓰는 꿀표현으로 반짝반짝 광을 낼 차례지요. 매끄럽고, 빛나는 중국어 회화를 돕고자 네이티브가 자주 쓰는 꿀표현 1,000문장을 담았습니다.

중국 드라마를 탈탈 털었다!

저는 매일 최소한 1시간 이상 중국 드라마 혹은 프로그램을 꼭 봅니다. 수년 간 제가 지켜 오고 있는 저만의 습관이자, 취미이자, 이제는 일상이 되어 버린 일이지요. 그 과정에서 중국어 회화는 정말 고정화된 패턴이 많으며, 현지인들이 진짜 잘 쓰는 표현이 따로 있다는 걸 알았습니다. 수년 간 드라마와 영화 등을 보며 지겹게 들었던, 지겹게 보았던 표현들을 탈탈 털어 이 안에 가득 담았습니다.

중국 SNS에서 살다시피 했다!

인터넷의 발달로 나날이 신조어가 늘어 갑니다. 중국 친구들과 대화를 하다가도, 종종 어리둥절해 질 때가 많죠. 이제는 중국의 젊은 친구들이 잘 쓰는 표현들도 알고 있어야 매끄러운 소통을 할 수 있습니다. 그리하여, 꿀표현 1,000문장을 뽑아내는 동안, 중국 SNS에서 살다시피 했습니다. 먼저 중국 친구들에게 자주 들었던 표현을 고른 뒤, 중국 SNS를 통해 수없는 서칭을 거쳐 수정 및 보강하였고, 마지막으로 감수를 맡은 중국인 선생님께 최종 확인을 거쳤습니다.

중국어 회화에는 '완성'이나 '정복'이 없습니다. '더 나은 것'이 있을 뿐이죠. '오늘은 어제보다 더, 내일은 오늘보다 더, 그리고 한 달 후에는 지금보다 더 나은 회화를 하자!'라는 마음가짐으로 차근히 접근하다 보면, 어느새 훌쩍 성장해 있을 겁니다. 중국어를 습관으로 만들어 보세요. 애인 만나듯, 매일, 꾸준히, 성실하게 만나고, 즐기고, 접하는 거예요. 그렇게 탄탄히 쌓인 중국어 내공은 시간이 흘러도 무너지지 않습니다. 매일 단 5분상만이라도 이 책에 담긴 꿀표현을 익히면서, 차근히 내공을 쌓아가자구요.

别着急，慢慢来!

2016년 6월

김소희 (차라)

하루 5분, 5문장 중국어 습관을 만드세요!

부담 없이 하루에 5문장 정도만 읽어 보세요. 매일매일의 습관이 중국어 실력을 만듭니다!

1단계 출근길 1분 30초 **중국어 표현을 보고 어떤 의미인지 생각해 보세요.**

한 페이지에 5문장의 중국어 표현이 정리되어 있습니다. 문장 아래 단어 뜻을 참고하여, 어떤 의미인지 생각해 보세요. 다음 페이지에서 뜻을 확인하고, 맞히지 못했다면 오른쪽 상단 체크 박스에 표시한 후 다음 문장으로 넘어 가세요.

2단계 이동 시 짬짬이 2분 **mp3 파일을 들으며 따라 해 보세요.**

mp3 파일에 녹음된 원어민 성우의 음성을 듣고 큰 소리로 따라 해 봅니다. 한자를 보고 발음이 생각나지 않는다면, 아래 병음을 보고 읽어 보세요. 표현을 쓸 상황을 상상하며 감정을 살려 연습하면, 실제 상황에서도 자신 있게 말할 수 있습니다.

3단계 퇴근길 1분 30초 **체크된 표현을 중심으로 한 번 더 확인하세요.**

미리 체크해 놓은 문장을 중심으로 앞 페이지에서는 중국어를 보며 우리말 뜻을 떠올려 보고, 뒤 페이지에서는 우리말 해석을 보고 중국어 문장을 5초 이내로 바로 말할 수 있다면 성공입니다!

 망각방지 복습법

매일매일 중국어 습관을 들이는 것과 함께 꼭 신경 써야 할 한 가지가 있습니다. 인간은 망각의 동물! 채워 넣을 것이 수없이 많은 복잡한 머릿속에서 입에 익숙지 않은 중국어 문장은 1순위로 빠져나가겠지요. 그러니 자신 있게 외웠다고 넘어간 표현들도 하루만 지나면 절반 이상 잊어버립니다.

1단계 **망각방지장치 ❶**

10일에 한 번씩, 50문장을 공부한 후 복습에 들어갑니다. 통문장을 외워서 말해야 한다는 부담 없이, 핵심 키워드만 비워 놓아 가볍게 기억을 떠올려 볼 수 있습니다. 문장을 완성하지 못했다면, 체크하고 다시 앞으로 돌아가 한 번 더 복습합니다.

2단계 **망각방지장치 ❷**

20일에 한 번씩, 100문장을 복습할 수 있도록 10개의 대화문을 넣었습니다. 우리말 해석 부분을 중국어 표현으로 바꿔 말해 보세요. 네이티브들이 쓰는 생생한 대화로 복습하면, 앞에서 배운 문장을 실제로 어떻게 써먹을 수 있는지 감이 확실히 잡힐 거예요.

이 책의 구성

mp3 파일
해당 페이지를 공부할 수 있는 mp3 파일입니다. 우리말 해석과 중국어 문장을 모두 녹음하고, 원어민 남녀 성우가 각각 한 번씩 읽었습니다.

소주제
5개의 문장은 연관 없는 낱개의 문장이 아닙니다. 다섯 문장이 하나의 주제로 연결되어 있어, 하나의 문장만 기억나도 연관된 문장이 줄줄이 연상되도록 구성했습니다.

중국어 문장
한 페이지에 5개의 문장을 넣었습니다. 중국인이 자주 쓰는 표현 중에서 초중급자에게도 어렵지 않은 단어로 된 문장만 뽑았습니다.

단어
중국어 표현을 보고 어떤 뜻인지 감이 오지 않는다면, 간단히 정리한 단어를 참고하세요.

체크 박스
우리말 해석을 보면서 앞 페이지의 중국어 표현이 떠오르지 않는다면 체크하세요. 복습할 때 체크한 문장 위주로 학습합니다.

상황 설명
어떤 상황에서 주로 활용할 수 있는 표현인지 간단하지만 '확' 와 닿게 설명했습니다. 상황을 떠올리며 중국어 표현을 연습해 보세요.

우리말 해석
중국어 바로 뒤 페이지에 해석을 넣었습니다. 중국어 문장의 뜻과 뉘앙스를 100% 살려, 가장 자연스러운 우리말로 해석했습니다. 우리말을 보고 중국어가 바로 나올 수 있게 연습하세요!

확인학습 **망각방지장치 ❶**

표현 50개마다 문장을 복습할 수 있는 연습문제를 넣었습니다. 빈칸에 알맞은 말을 넣어 5초 이내에 문장을 말해 보세요. 틀린 문장은 오른쪽 표현 번호를 참고해, 그 표현이 나온 페이지로 돌아가서 다시 한번 확인하고 넘어 가세요.

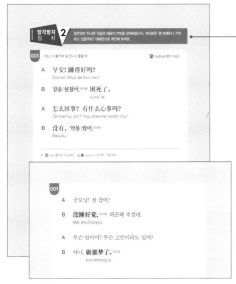

확인학습 **망각방지장치 ❷**

책에 나오는 문장들이 실생활에서 정말 쓰는 표현인지 궁금하다고요? 표현 100개를 배울 때마다, 표현을 활용할 수 있는 대화문 10개를 넣었습니다. 대화 상황 속에서 우리말 부분을 중국어로 바꿔 말해 보세요. 뒤 페이지에서 정답과 해석을 바로바로 확인할 수 있습니다.

mp3 파일 활용법

책에 수록된 모든 문장은 중국인 베테랑 성우의 목소리로 직접 녹음했습니다. 오디오만 들어도 이 책의 모든 문장을 외울 수 있도록, 중국어 문장뿐 아니라 우리말 해석까지 녹음했습니다. 한 페이지에 나오는 5개의 문장을 하나의 mp3 파일로 묶어, 모르는 부분을 쉽게 찾아 들을 수 있습니다. 중국어 문장이 입에 착! 붙을 때까지 여러 번 듣고 따라 하세요. mp3 파일은 길벗이지톡 홈페이지(www.eztok.co.kr)에서 무료로 다운로드 받거나, 각 Part가 시작하는 부분의 QR코드를 스캔해 스마트폰에서 바로 들을 수 있습니다.

1단계 **그냥 들으세요!** 우리말 해석 ➜ 중국어 문장 2회 (남/여)

2단계 **중국어로 말해 보세요!** 우리말 해석 ➜ 답하는 시간 ➜ 중국어 문장 1회

차례

네이티브가
일상생활에서
자주 쓰는 표현 100

Part 1 전체 듣기

잠도 자고 맛있는 것도 먹고,
친구를 만나다 짜증도 내고
바쁜 생활에 깜빡하기도 하면서,
중국인도 그렇게 일상을 살아갑니다.
그들이 일상에서 자주 쓰는 표현들,
뻔한 표현 말고 바로 써먹을 수 있는 꿀표현들을 모았습니다.

🎧 0001~0005.mp3

0001

晚安。

Wǎn'ān.

0002

做个好梦。

Zuò ge hǎo mèng.

0003

做个有我的梦。

Zuò ge yǒu wǒ de mèng.

0004

做噩梦了。

Zuò èmèng le.

噩梦 èmèng 악몽

0005

被梦魇到了。

Bèi mèngyǎn dào le.

梦魇 mèngyǎn 가위눌리다, 꿈결에 놀라다

11

0001

윗사람·아랫사람 불문하고 하는 밤 인사

잘 자.

0002

'잘 자'만으로는 뭔가 부족할 때

좋은 꿈 꿔.

0003

달달한 밤 인사, "梦见我哦!"라고 하면 더 귀여워요

내 꿈 꿔.

0004

식은땀 쭉 나는 꿈 꿨을 때

악몽 꿨어.

0005

나 꿍꼬또 기싱꿍꼬또

가위눌렸어.

01 | 잠 자야 잠 삼자

0006

睡得很香!

Shuì de hěn xiāng!

0007

我睡过头了。

Wǒ shuì guòtóu le.

过头 guòtóu 넘다, 지나치다

0008

没睡好觉。

Méi shuìhǎojiào.

0009

你说梦话了。

Nǐ shuō mènghuà le.

梦话 mènghuà 잠꼬대

0010

怎么还没睡啊?

Zěnme hái méi shuì a?

13

0006

달달하게 푹~ 잘 잤을 때

잘~ 잤다!

0007

이불 밖으로 겨우 나오며

늦잠 잤어.

0008

제대로 자지 못했을 때

잠을 설쳤어.

0009

내가 밤새 잠을 설친 이유

너 잠꼬대하더라.

0010

늦은 밤, 잠 못 이루고 있는 사람에게

왜 여태 안 자?

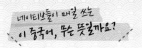
0011

肚子好饿。
Dùzi hǎo è.

0012

饿死了。
Èsǐ le.

0013

吃点东西吧。
Chī diǎn dōngxi ba.

0014

我请客!
Wǒ qǐngkè!

请客 qǐngkè 한턱내다, 접대하다

0015

来，开动!
Lái, kāidòng!

开动 kāidòng 출발하다, 움직이다

0011

☐ ☐ ☐

출출한 느낌이 들 때

배고파.

0012

☐ ☐ ☐

꼬르륵꼬르륵 배 속에 전쟁 났을 때

배고파 죽겠어.

0013

☐ ☐ ☐

무엇이든 배에 좀 넣어야겠을 때

뭐라도 먹자.

0014

☐ ☐ ☐

이까이꺼 얼마 한다고

내가 쏠게!

0015

☐ ☐ ☐

음식이 모두 나왔을 때

자, 먹자!

请慢用。
Qǐng mànyòng.

尝一尝。
Cháng yi cháng.

尝 cháng 맛보다

趁热吃。
Chènrè chī.

趁热 chènrè 뜨거울 때를 이용하여

撑死了。
Chēngsǐ le.

撑 chēng 가득 채우다, 팽팽해지다

肚子要爆炸了。
Dùzi yào bàozhà le.

爆炸 bàozhà 폭발하다

0016

맛있게, 천천히, 많이 먹으라고 할 때

맛있게 드세요.

0017

한번 맛보라고 권할 때

먹어 봐.

0018

식기 전에 먹어야 제맛인 음식을 줄 때

따뜻할 때 먹어.

0019

더 이상은 무리

배불러 죽겠다.

0020

먹고, 먹고, 또 먹어서 배가 폭발할 지경

배 터지겠다.

0021

我马上到。

Wǒ mǎshàng dào.

马上 mǎshàng 곧, 바로

0022

老地方见!

Lǎodìfang jiàn!

老地方 lǎodìfang 늘 가던 곳, 원래의 장소

0023

一会儿见!

Yíhuìr jiàn!

一会儿 yíhuìr 곧, 잠깐 사이에

0024

等很久了吗?

Děng hěn jiǔ le ma?

0025

你一点都没变。

Nǐ yìdiǎn dōu méi biàn.

0021

어디냐는 재촉 전화가 걸려 왔을 때

금방 도착해.

0022

자주 만나던 곳으로 약속을 정할 때

그때 거기서 봐!

0023

약속 시간이 멀지 않았을 때

이따 보자!

0024

약속에 조금 늦어 미안할 때

오래 기다렸어?

0025

오랜만에 만났는데 옛 모습 그대로일 때

너 그대로다.

🎧 0026~0030.mp3

0026 ☐ ☐ ☐

我要走了。

Wǒ yào zǒu le.

0027 ☐ ☐ ☐

今天玩得很开心。

Jīntiān wán de hěn kāixīn.

开心 kāixīn 즐겁다, 유쾌하다

0028 ☐ ☐ ☐

路上小心。

Lùshang xiǎoxīn.

0029 ☐ ☐ ☐

要保重。

Yào bǎozhòng.

保重 bǎozhòng 건강에 유의하다, 몸조심하다

0030 ☐ ☐ ☐

有空再来玩。

Yǒu kòng zài lái wán.

有空 yǒu kòng 틈이 있다, 짬이 나다

0026

이제 돌아가야겠다 싶을 때

이만 갈게.

0027

친구와 헤어지기 전에 쓰면 좋은 말

오늘 재밌었어.

0028

'짜이찌엔'만으로는 부족해

조심히 가.

0029

오랫동안 헤어져 있게 될 상대에게

건강 잘 챙겨.

0030

날 찾아와 준 친구를 보낼 때

시간 나면 또 놀러 와.

0031 ☐ ☐ ☐

有很多事要做。

Yǒu hěn duō shì yào zuò.

0032 ☐ ☐ ☐

忙得要死。

Máng de yàosǐ.

要死 yàosǐ 정도가 최고 수준에 이르다

0033 ☐ ☐ ☐

忙得都没时间休息。

Máng de dōu méi shíjiān xiūxi.

0034 ☐ ☐ ☐

一大早就忙死了。

Yídàzǎo jiù mángsǐ le.

一大早 yídàzǎo 이른 새벽, 이른 아침

0035 ☐ ☐ ☐

下次吧。

Xiàcì ba.

0031 ☐ ☐ ☐

해야 할 일이 산더미처럼 쌓여 있을 때

할 일이 많아.

0032 ☐ ☐ ☐

정신없이 바쁠 때

바빠 죽을 지경이야.

0033 ☐ ☐ ☐

엉덩이 붙일 틈도 없을 때

쉴 틈 없이 바빠.

0034 ☐ ☐ ☐

이른 시간부터 눈코 뜰 새 없이 바쁠 때

아침부터 바빠 죽겠어.

0035 ☐ ☐ ☐

약속을 미뤄야겠을 때

다음에.

0036 ☐ ☐ ☐

我忘了。

Wǒ wàng le.

0037 ☐ ☐ ☐

差点忘了。

Chàdiǎn wàng le.

差点(儿) chàdiǎn(r) 하마터면, 자칫하면

0038 ☐ ☐ ☐

我忘了跟你说。

Wǒ wàng le gēn nǐ shuō.

0039 ☐ ☐ ☐

我忘带钱包了!

Wǒ wàng dài qiánbāo le!

带 dài 휴대하다, 지니다 | 钱包 qiánbāo 지갑

0040 ☐ ☐ ☐

你看我这记性!

Nǐ kàn wǒ zhè jìxing!

记性 jìxing 기억력

25

0036
□ □ □

까맣게 잊고 있었다는 걸 깨달았을 때

깜빡했네.

0037
□ □ □

잊어버릴 뻔했다가 불현듯 생각났을 때

깜빡할 뻔했다.

0038
□ □ □

하려던 말이 나중에 떠올랐을 때

깜빡하고 말 안 했네.

0039
□ □ □

진짜 놓고 왔거나 혹은 돈이 없거나

지갑을 놓고 왔네!

0040
□ □ □

'잊어버릴 걸 잊어야지' 하는 느낌으로

내 정신 좀 봐!

0041

怎么了?

Zěnme le?

0042

怎么办?

Zěnme bàn?

0043

现在怎么办?

Xiànzài zěnme bàn?

0044

我该怎么办!

Wǒ gāi zěnme bàn!

该 gāi ~해야 한다

0045

不知道怎么办才好。

Bù zhīdào zěnme bàn cái hǎo.

才好 cái hǎo ~해야 좋다

0041 ☐ ☐ ☐

'무슨 일이야?'의 느낌으로

왜 그래?

0042 ☐ ☐ ☐

발을 동동 구르게 되는 상황에서

어떡해?

0043 ☐ ☐ ☐

상황은 받아들였고 해결할 일만 남았을 때

이제 어쩌지?

0044 ☐ ☐ ☐

어떻게든 해결은 해야겠는데 막막할 때

나 어떡해야 해!

0045 ☐ ☐ ☐

아무리 생각해도 방법이 떠오르지 않을 때

어떻게 해야 좋을지 모르겠어.

0046

放心吧。
Fàngxīn ba.

放心 fàngxīn 마음을 놓다, 안심하다

0047

不要怕。
Búyào pà.

0048

振作起来!
Zhènzuòqǐlai!

振作 zhènzuò 활기를 찾다, 분발하다

0049

不要在意。
Búyào zàiyì.

在意 zàiyì 마음에 두다, 신경 쓰다

0050

别泄气。
Bié xièqì.

泄气 xièqì 기가 죽다, 낙담하다

0046

마음을 편히 갖고 근심 말라는 뜻으로

걱정 마.

0047

무언가를 두려워하고 있는 사람에게

겁내지 마.

0048

활력과 기운이 가득 차오르길 바라는 마음

기운 내!

0049

어떤 일로 안절부절못하고 있을 때

신경 쓰지 마.

0050

바람 빠진 풍선처럼 축 늘어져 낙담하고 있을 때

기죽지 마.

망각방지 장치 1

하루만 지나도 학습한 내용의 50%가 머릿속에서 도망가 버린다는 사실! 과연 여러분은? 5분 안에 아래의 25개를 말해 보세요. 아침에 한 번 했다면, 저녁에 또 한 번!

○ ✕ 복습

01	악몽 꿨어.	做　　　　　　了。	□ □	0004
02	가위눌렸어.	被　　　　　　到了。	□ □	0005
03	너 잠꼬대하더라.	你说　　　　　　了。	□ □	0009
04	내가 쏠게!	我　　　　　！	□ □	0014
05	자, 먹자!	来，　　　　　！	□ □	0015
06	배불러 죽겠다.	死了。	□ □	0019
07	그때 거기서 봐!	见!	□ □	0022
08	너 그대로다.	你一点都　　　　。	□ □	0025
09	조심히 가.	小心。	□ □	0028
10	건강 잘 챙겨.	要　　　　　。	□ □	0029
11	할 일이 많아.	有很多事　　　　。	□ □	0031
12	쉴 틈 없이 바빠.	忙得都　　　　。	□ □	0033
13	다음에.	。	□ □	0035

정답 01 噩梦 02 梦魇 03 梦话 04 请客 05 开动 06 撑 07 老地方 08 没变 09 路上 10 保重
11 要做 12 没时间休息 13 下次吧

14 깜빡할 뻔했다.	忘了。	☐ ☐	0037
15 지갑을 놓고 왔네!	我忘 了!	☐ ☐	0039
16 내 정신 좀 봐!	你看我这 !	☐ ☐	0040
17 왜 그래?	?	☐ ☐	0041
18 이제 어쩌지?	现在 ?	☐ ☐	0043
19 나 어떡해야 해!	我 怎么办!	☐ ☐	0044
20 어떻게 해야 좋을지 모르겠어.	不知道怎么办 。	☐ ☐	0045
21 걱정 마.	吧。	☐ ☐	0046
22 겁내지 마.	不要 。	☐ ☐	0047
23 기운 내!	起来!	☐ ☐	0048
24 신경 쓰지 마.	不要 。	☐ ☐	0049
25 기죽지 마.	别 。	☐ ☐	0050

맞은 개수: 25개 중 _____ 개

당신은 그동안 _____%를 잊어버렸습니다.

틀린 문장들은 다시 한번 보고 넘어가세요.

정답 14 差点 15 带钱包 16 记性 17 怎么了 18 怎么办 19 该 20 才好 21 放心 22 怕 23 振作 24 在意 25 泄气

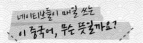

别着急。
Bié zháojí.

着急 zháojí 조급해 하다, 초조해 하다

慢慢来。
Mànmàn lái.

0053

其实没什么。
Qíshí méi shénme.

其实 qíshí 사실, 실은

0054

都会成为回忆。
Dōu huì chéngwéi huíyì.

成为 chéngwéi ～이 되다 | 回忆 huíyì 추억, 회상

塞翁失马，焉知非福。
Sàiwēngshīmǎ, yānzhī fēi fú.

塞翁失马 sàiwēngshīmǎ 새옹지마 | 焉知 yānzhī 어찌 ～을 알겠는가

0051

초조해 하거나 조급해 하는 상대방에게

서두르지 마.

0052

조급해 하지 말고 차근히 하라는 의미로

느긋하게 해.

0053

솔직히 말하면 작고 사소한 일일 때

사실 별거 아냐.

0054

힘든 시간을 견뎌 내고 있을 때

다 추억이 될 거야.

0055

전화위복의 힘을 불어넣어 주고 싶을 때

인간사 새옹지마라잖아.

🎧 0056~0060.mp3

0056

你听好了。

Nǐ tīng hǎo le.

0057

听清楚了吗?

Tīng qīngchu le ma?

清楚 qīngchu 이해하다, 알다

0058

我有话跟你说。

Wǒ yǒu huà gēn nǐ shuō.

0059

你要保密。

Nǐ yào bǎomì.

保密 bǎomì 비밀을 지키다, 기밀로 하다

0060

尽管开口。

Jǐnguǎn kāikǒu.

尽管 jǐnguǎn 얼마든지, 마음 놓고 | 开口 kāikǒu 입을 열다, 말을 하다

0056

경고·주의를 줄 때 집중해서 들으라는 의미로

너 잘 들어.

0057

말을 제대로 이해했는지 물을 때

알아들었어?

0058

무거운 혹은 중요한 이야기를 꺼낼 때

할 말이 있어.

0059

비밀 이야기 후 입단속 시킬 때

아무한테도 말하지 마.

0060

어떤 말이든 다 들어 줄 마음이 있을 때

얼마든지 얘기해.

0061

没告诉你吗?

Méi gàosu nǐ ma?

0062

刚刚说到哪儿了?

Gānggāng shuōdào nǎr le?

刚刚 gānggāng 지금 막, 방금

0063

我早就跟你说过。

Wǒ zǎojiù gēn nǐ shuōguo.

早就 zǎojiù 벌써, 진작

0064

当我没说。

Dàng wǒ méi shuō.

当 dàng ~이라고 생각하다

0065

别说漏了。

Bié shuōlòu le.

说漏 shuōlòu 무심결에 말해 버리다, 말이 새다

0061

이야기한 줄 알았는데 못 들었다고 할 때

너한테 말 안 했어?

0062

대화 중 잠시 이야기가 끊기고 나서

방금 어디까지 얘기했지?

0063

'말할 때 안 듣더니 그럴 줄 알았다'의 느낌

그러게 내가 뭐랬냐.

0064

방금 내뱉은 말, 회수하고 싶을 때

암말 안 했다 치자.

0065

상대방과 말 맞출 때, 말실수하지 말라는 의미로

말 새지 않게 조심해.

🎧 0066~0070.mp3

0066

我受不了了。

Wǒ shòubuliǎo le.

受不了 shòubuliǎo 참을 수 없다, 견딜 수 없다

0067

算了吧。

Suànle ba.

算了 suànle 그만두다, 따지지 않다

0068

清醒一点!

Qīngxǐng yìdiǎn!

清醒 qīngxǐng 정신이 들다, 의식을 회복하다

0069

随你的便。

Suí nǐ de biàn.

随便 suíbiàn 마음대로 하다

0070

随你怎么想。

Suí nǐ zěnme xiǎng.

0066

어떤 행위나 말, 상황 등을 견딜 수 없을 때

더는 못 참겠다.

0067

'그만두자', '그만해', '필요 없어'의 느낌

됐어.

0068

제정신이 아닌 것 같을 때

정신 차려!

0069

어떻게 해도 상관없을 때 혹은 설득이 안 될 때

네 마음대로 해.

0070

더 이상 설득하기도 지쳤을 때

마음대로 생각해.

0071

你有完没完!
Nǐ yǒu wán méi wán!

0072

想得美!
Xiǎng de měi!

0073

烦死了。
Fánsǐ le.

烦 fán 성가시다, 귀찮다

0074

没门儿!
Méi ménr!

门儿 ménr 방법, 가망

0075

别惹我。
Bié rě wǒ.

惹 rě 상대방의 기분을 건드리다

41

0071

가만두고 보자니 한도 끝도 없을 때

그만 좀 해라!

0072

'꿈도 야무지네!'의 느낌

꿈 깨셔!

0073

번거롭고 귀찮고 짜증나고 성가실 때

귀찮아 죽겠네.

0074

눈곱만큼도 가망 없으니 생각도 말라는 뉘앙스

어림없거든!

0075

폭발 일보 직전일 때 쓰는 경고성 멘트

열 받게 하지 마.

🎧 0076~0080.mp3

0076

☐ ☐ ☐

那倒也是。

Nà dào yě shì.

0077

☐ ☐ ☐

应该是吧。

Yīnggāi shì ba.

0078

☐ ☐ ☐

真没想到。

Zhēn méi xiǎngdào.

0079

☐ ☐ ☐

我想了想……

Wǒ xiǎngle xiǎng…

0080

☐ ☐ ☐

我只是好奇。

Wǒ zhǐshì hàoqí.

只是 zhǐshì 단지, 다만 ┃ 好奇 hàoqí 호기심을 갖다, 궁금하게 생각하다

43

0076

상대방 말을 들어 보니 맞다 싶을 때

그건 그래.

0077

확신할 순 없지만 '그러할 것'이라고 추측하는 경우

아마 그럴 걸.

0078

꿈에서도 생각지 못한 일이 일어났을 때

정말 상상도 못했어.

0079

깊이 혹은 잠시라도 생각해 본 일에 대해 말을 꺼낼 때

생각해 봤는데…

0080

다른 의미는 없고 단순한 호기심일 때

그냥 궁금해서.

🎧 0081~0085.mp3

0081

☐ ☐ ☐

举双手赞成!

Jǔ shuāngshǒu zànchéng!

举 jǔ 들다 ┃ 赞成 zànchéng 찬성하다, 동의하다

0082

☐ ☐ ☐

你反对也没用。

Nǐ fǎnduì yě méiyòng.

反对 fǎnduì 반대하다 ┃ 没用 méiyòng 소용없다, 효과가 없다

0083

☐ ☐ ☐

我没意见。

Wǒ méi yìjiàn.

意见 yìjiàn 의견, 반대, 불만

0084

☐ ☐ ☐

无所谓。

Wúsuǒwèi.

0085

☐ ☐ ☐

看你的表现。

Kàn nǐ de biǎoxiàn.

表现 biǎoxiàn 태도, 행동

45

0081

쌍수 들고 열렬히 지지하고 싶을 만큼

무조건 찬성이야!

0082

친구가 송중기의 연애를 결사반대할 때

네가 반대하면 뭐해.

0083

상대방의 의견에 다른 의견이 없을 때

반대 안 해.

0084

어느 쪽이든 OK, 약간 무심한 느낌으로

상관없어.

0085

너 하기에 달렸으니 알아서 하라는 느낌

너 하는 거 봐서.

🎧 0086~0090.mp3

0086

☐ ☐ ☐

我保证!

Wǒ bǎozhèng!

保证 bǎozhèng 보증하다, 확실히 책임지다

0087

☐ ☐ ☐

拉钩~

Lāgōu~

拉钩 lāgōu 손가락을 걸어 약속하다

0088

☐ ☐ ☐

一言为定!

Yìyánwéidìng!

0089

☐ ☐ ☐

答应我。

Dāying wǒ.

答应 dāying 대답하다, 승낙하다

0090

☐ ☐ ☐

要说到做到。

Yào shuōdào zuòdào.

47

0086

반드시 지킬 것을 보장한다는 느낌으로

약속할게!

0087

새끼손가락 고리 걸고 꼭꼭 약속해

약쏘옥~

0088

절대 번복하지 말자는 느낌으로

다른 말 하기 없기!

0089

진지하게 약속을 구할 때

약속해 줘.

0090

말했으면 행동으로 보여 줘야 한다는 말

말했으면 지켜야지.

0091

□ □ □

又不是外人。

Yòu bú shì wàirén.

外人 wàirén 남, 모르는 사람

0092

□ □ □

我们谁跟谁啊。

Wǒmen shéi gēn shéi a.

0093

□ □ □

有你真好。

Yǒu nǐ zhēn hǎo.

0094

□ □ □

我们是闺蜜。

Wǒmen shì guīmì.

闺蜜 guīmì 여자 사이의 절친

0095

□ □ □

有一种友情叫我和你。

Yǒu yì zhǒng yǒuqíng jiào wǒ hé nǐ.

友情 yǒuqíng 우정

0091

☐ ☐ ☐

친한 사람이 필요 이상으로 격식을 차릴 때

남도 아닌데, 뭐.

0092

☐ ☐ ☐

'우리 사이에 뭘~' 하는 느낌으로

우리가 누구냐.

0093

☐ ☐ ☐

친구 혹은 애인에게도 쓸 수 있는 표현

네가 있어 참 좋아.

0094

☐ ☐ ☐

남자들끼리 절친을 표현할 땐 '铁哥们'

우린 절친.

0095

☐ ☐ ☐

직역하면 '나와 너라고 부르는 우정이 있다'

우리라고 쓰고 우정이라 읽는다.

0096

没有为什么。

Méiyǒu wèishénme.

0097

怎么说呢。

Zěnme shuō ne.

0098

有人在吗?

Yǒurén zài ma?

0099

闭嘴!

Bìzuǐ!

0100

哇塞!

Wāsài!

0096

별생각 없이 한 행동에 이유를 물어 올 때

그냥.

0097

'글쎄, 어떻게 표현해야 할까' 하는 느낌으로

뭐랄까.

0098

가게나 집에 들어갔는데 아무도 보이지 않을 때

누구 없어요?

0099

듣기 싫어, 당장 그 입을 다물라!

입 다물어!

0100

굉장한 걸 보았을 때 '와!, 대박!'의 느낌으로

우와!

**망각방지
장　　치** **1**

하루만 지나도 학습한 내용의 50%가 머릿속에서 도망가 버린다는 사실! 과연 여러분은? 5분 안에 아래의 25개를 말해 보세요. 아침에 한 번 했다면, 저녁에 또 한 번!

○ ✕ 복습

01 서두르지 마.　　　別　　　　　　　　　　　。☐ ☐ `0051`

02 느긋하게 해.　　　　　　　　　　　来。☐ ☐ `0052`

03 다 추억이 될 거야.　　都会成为　　　　　　　。☐ ☐ `0054`

04 인간사 새옹지마라잖아.　　　　　　　，焉知非福。☐ ☐ `0055`

05 너 잘 들어.　　　　你　　　　　　　了。☐ ☐ `0056`

06 알아들었어?　　　听　　　　　　　了吗?☐ ☐ `0057`

07 아무한테도 말하지 마.　你要　　　　　　。☐ ☐ `0059`

08 얼마든지 얘기해.　　　　　　　　开口。☐ ☐ `0060`

09 그러게 내가 뭐랬냐.　　我　　　　跟你说过。☐ ☐ `0063`

10 암말 안 했다 치자.　　　　　我没说。☐ ☐ `0064`

11 말 새지 않게 조심해.　別　　　　　了。☐ ☐ `0065`

12 더는 못 참겠다.　　　我　　　　　了。☐ ☐ `0066`

13 정신 차려!　　　　　　　　一点!☐ ☐ `0068`

정답　01 着急　02 慢慢　03 回忆　04 塞翁失马　05 听好　06 清楚　07 保密　08 尽管　09 早就　10 当
11 说漏　12 受不了　13 清醒

14 마음대로 생각해.　　随你　　　　　　　　　　　。□ □ `0070`

15 그만 좀 해라!　　你　　　　　　　　　　　！□ □ `0071`

16 꿈 깨셔!　　想得　　　　　　　　　　　！□ □ `0072`

17 어림없거든!　　没　　　　　　　　　　　！□ □ `0074`

18 아마 그럴 걸.　　　　　　　　　　是吧。□ □ `0077`

19 그냥 궁금해서.　　我只是　　　　　　　　　　　。□ □ `0080`

20 무조건 찬성이야!　　举　　　　　　　　赞成！□ □ `0081`

21 반대 안 해.　　我没　　　　　　　　　　　。□ □ `0083`

22 너 하는 거 봐서.　　看你的　　　　　　　　　　。□ □ `0085`

23 약속할게!　　我　　　　　　　　　　！□ □ `0086`

24 다른 말 하기 없기!　　　　　　　　　为定！□ □ `0088`

25 우린 (여자) 절친.　　我们是　　　　　　　　　。□ □ `0094`

맞은 개수: 25개 중 ＿＿＿＿ **개**

당신은 그동안 ＿＿＿＿%를 잊어버렸습니다.
틀린 문장들은 다시 한번 보고 넘어가세요.

정답 14 怎么想　15 有完没完　16 美　17 门儿　18 应该　19 好奇　20 双手　21 意见　22 表现　23 保证
24 一言　25 闺蜜

001 아침 인사를 하며 잘 잤냐고 물을 때   🎧 huihua 001.mp3

A   早安! 睡得好吗?
       Zǎo'ān! Shuì de hǎo ma?

B   잠을 설쳤어,⁰⁰⁰⁸ 困死了。
                        kùnsǐ le.

A   怎么回事? 有什么心事吗?
       Zěnme huí shì? Yǒu shénme xīnshì ma?

B   没有, 악몽 꿨어.⁰⁰⁰⁴
       Méiyǒu,

- -

- 困 kùn 졸리다, 피곤하다 心事 xīnshì 고민거리, 걱정거리

002 바빠서 밥도 못 먹은 날   🎧 huihua 002.mp3

A   吃饭了吗?
       Chīfàn le ma?

B   还没有, 你呢?
       Hái méiyǒu, nǐ ne?

A   今天바빠 죽을 지경이야,⁰⁰³² 一直没时间吃饭。
       Jīntiān   yìzhí méi shíjiān chīfàn.

B   要不咱们吃点东西吧, 내가 쏠게!⁰⁰¹⁴
       Yàobù zánmen chī diǎn dōngxi ba,

- -

- 要不 yàobù 안 그러면, 아니면

A 굿모닝! 잘 잤어?

B **没睡好觉,** 0008 피곤해 죽겠네.
Méi shuìhǎojiào.

A 무슨 일이야? 무슨 고민이라도 있어?

B 아니, **做噩梦了。** 0004
zuò èmèng le.

A 밥 먹었어?

B 아직, 너는?

A 오늘 **忙得要死,** 0032 계속 밥 먹을 시간도 없었네.
máng de yàosǐ,

B 아니면 우리 뭐라도 먹자, **我请客!** 0014
wǒ qǐngkè!

A 你在哪儿？我已经到了。
Nǐ zài nǎr?　　Wǒ yǐjīng dào le.

B 금방 도착해. 0021

A 我已经买票了，在门口等你。
Wǒ yǐjīng mǎi piào le, zài ménkǒu děng nǐ.

B 好，이따 보자! 0023
Hǎo,

- -

- 门口 ménkǒu 입구, 현관

A 这家店的菜真的很好吃。
Zhè jiā diàn de cài zhēnde hěn hǎochī.

B 是吧？배불러 죽겠다. 0019
Shì ba?

A 哎哟，내 정신 좀 봐, 0040 忘带钱包了！
Āiyō,　　　　　　　　　　　wàng dài qiánbāo le!

B 算了吧，我这儿有钱。
Suànle ba, wǒ zhèr yǒu qián.

A 어디야? 나 이미 도착했는데.

B **我马上到。**0021
   Wǒ mǎshàng dào.

A 내가 표 벌써 샀어, 입구에서 기다릴게.

B 응, **一会儿见!**0023
   yíhuìr jiàn!

A 이 집 음식 진짜 맛있네.

B 그치? **撑死了。**0019
   Chēngsǐ le.

A 아이고, **你看我这记性,**0040 지갑을 놓고 왔네!
   nǐ kàn wǒ zhè jìxing,

B 됐어, 나한테 돈 있어.

A 哇，时间真快! 都九点了，이만 갈게.0026
Wā, shíjiān zhēn kuài! Dōu jiǔ diǎn le,

B 今天玩得很开心。
Jīntiān wán de hěn kāixīn.

A 我也是，谢谢你。
Wǒ yě shì, xièxie nǐ.

B 不客气，시간 나면 또 놀러 와.0030
Búkèqi,

A 大仁，我어떡해?0042
Dàrén, wǒ

B 怎么了? 发生了什么事?
Zěnme le?　Fāshēngle shénme shì?

A 考试考砸了。
Kǎoshì kǎo zá le.

B 기죽지 마,0050 还有下次呢。
　　　　　　　háiyǒu xiàcì ne.

• **考试** kǎoshì 시험(을 치다)　**砸** zá 실패하다, 망치다

A   와, 시간 진짜 빠르다! 벌써 9시네, **我要走了。**0026
     wǒ yào zǒu le.

B   오늘 재밌었어.

A   나도, 고마워.

B   별말씀을, **有空再来玩。**0030
     yǒu kòng zài lái wán.

A   따런, 나 **怎么办?** 0042
     zěnme bàn?

B   왜 그래? 무슨 일 생겼어?

A   시험 망쳤어.

B   **别泄气,** 0050 다음번이 있잖아.
     Bié xièqì,

A 我跟他分手了，现在 어떻게 해야 좋을지 모르겠어. 0045
  Wǒ gēn tā fēnshǒu le, xiànzài

B 其实没什么，다 추억이 될 거야. 0054
  Qíshí méi shénme,

A 那倒也是，说不定会有更好的人呢。
  Nà dào yě shì, shuōbudìng huì yǒu gèng hǎo de rén ne.

B 会有的。
  Huì yǒu de.

• **分手** fēnshǒu 헤어지다, 이별하다 **说不定** shuōbudìng ~일지도 모른다

A 忙吗? 할 말이 있어. 0058
  Máng ma?

B 很急吗? 现在我 할 일이 많아. 0031
  Hěn jí ma? Xiànzài wǒ

A 那就一会儿吧。忙完了就告诉我。
  Nà jiù yíhuìr ba.   Mángwánle jiù gàosu wǒ.

B 好的。
  Hǎode.

A 나 그 사람이랑 헤어졌어, 이제 **不知道怎么办才好。** 0045
bù zhīdào zěnme bàn cái hǎo.

B 사실 별거 아냐, **都会成为回忆。** 0054
dōu huì chéngwéi huíyì.

A 그건 그래, 더 좋은 사람이 있을지도 모르고.

B 있을 거야.

A 바빠? **我有话跟你说。** 0058
Wǒ yǒu huà gēn nǐ shuō.

B 급한 거야? 지금 나 **有很多事要做。** 0031
yǒu hěn duō shì yào zuò.

A 그럼 이따가 할게. 바쁜 거 끝나면 말해.

B 알겠어.

A 你又迟到了!
　Nǐ yòu chídào le!

B 我跟小丽说过今天有事，她 너한테 말 안 했어?⁰⁰⁶¹
　Wǒ gēn Xiǎo Lì shuōguo jīntiān yǒu shì, tā

A 没有，그러게 내가 뭐랬냐,⁰⁰⁶³ 小丽不靠谱。
　Méiyǒu,　　　　　　　　　　　　　Xiǎo Lì bú kàopǔ.

B 太过分了吧。
　Tài guòfèn le ba.

- -

- 迟到 chídào 지각하다　靠谱 kàopǔ 믿을 만하다

A 你什么时候来中国玩?
　Nǐ shénme shíhou lái Zhōngguó wán?

B 我打算这个月底去一趟。
　Wǒ dǎsuàn zhège yuèdǐ qù yí tàng.

A 这么快? 와!⁰¹⁰⁰ 到时候我请你吃好吃的!
　Zhème kuài?　　　Dào shíhou wǒ qǐng nǐ chī hǎochī de!

B 真的吗? 다른 말 하기 없기!⁰⁰⁸⁸
　Zhēnde ma?

- -

- 月底 yuèdǐ 월말　一趟 yí tàng 한 번, 한 차례　到时候 dào shíhou 그때 가서, 그때가 되면

63

A 너 또 늦었어!

B 내가 샤오리한테 오늘 일 있다고 말했는데,
개가 **没告诉你吗?** 0061
méi gàosu nǐ ma?

A 안 했어, **我早就跟你说过,** 0063 샤오리 못 믿는다니까.
wǒ zǎojiù gēn nǐ shuōguo,

B 너무하네.

A 너 중국에 언제 놀러 와?

B 이번 달 말에 한 번 갈 계획이야.

A 그렇게 빨리? **哇塞!** 0100 그때 내가 맛있는 거 사 줄게!
Wāsài!

B 정말? **一言为定!** 0088
Yìyánwéidìng!

네이티브가
리액션할 때
자주 쓰는 표현 100

Part 2 전체 듣기

대화에는 리액션의 기술이 필요합니다.
적재적소에 툭툭 던지는 리액션은
말하는 사람도, 듣고 있는 사람도 더욱 즐겁게 하지요.
중국어 실력이 부족하다고 겁먹지 마세요!
리액션만 제대로 해도, 중국 친구와 꿀잼 대화가 가능합니다.

0101

你怎么来了?

Nǐ zěnme lái le?

0102

你怎么会在这里?

Nǐ zěnme huì zài zhèlǐ?

0103

什么风把你吹来了?

Shénme fēng bǎ nǐ chuīlái le?

风 fēng 바람 | 吹来 chuīlái 불어오다

0104

你怎么才来啊?

Nǐ zěnme cái lái a?

才 cái 방금, 이제야

0105

怎么垂头丧气(的)?

Zěnme chuítóusàngqì (de)?

垂头丧气 chuítóusàngqì 의기소침하다, 풀이 죽고 기가 꺾이다

0101 □ □ □

드라마 속 단골 멘트 1

네가 여긴 웬일이야?

0102 □ □ □

드라마 속 단골 멘트 2

네가 왜 여기 있어?

0103 □ □ □

한동안 안 올 줄, 못 볼 줄!

무슨 바람이 불어서 왔어?

0104 □ □ □

'한참 기다렸잖아!'의 느낌

왜 이제서 와?

0105 □ □ □

기운 없이 고개를 숙이고 있는 그대에게

왜 이리 풀이 죽었어?

🎧 0106~0110.mp3

0106

怪不得。
Guàibude.

0107

我就知道会这样。
Wǒ jiù zhīdào huì zhèyàng.

这样 zhèyàng 이렇게, 이와 같다

0108

你看!
Nǐ kàn!

0109

我不是说过了吗?
Wǒ bú shì shuōguo le ma?

0110

你以为我不知道吗?
Nǐ yǐwéi wǒ bù zhīdào ma?

以为 yǐwéi ~이라고 여기다, 생각하다

69

0106

'이상하다 싶더라니'의 느낌으로

어쩐지.

0107

진작부터 예상하고 있었다는 느낌으로

내가 이럴 줄 알았어.

0108

그러게, 내가 뭐라고 했어!

거봐!

0109

내가 말할 땐 제대로 안 듣더니!

내가 말했잖아.

0110

모르는 척해 준 거야, 난 대인배니까!

내가 모를 줄 알았어?

0111

乌鸦嘴!

Wūyāzuǐ!

乌鸦 wūyā 까마귀 | 嘴 zuǐ 입

0112

别唠叨了。

Bié láodao le.

唠叨 láodao 잔소리하다, 되풀이하여 말하다

0113

别吹牛了。

Bié chuīniú le.

吹牛 chuīniú 허풍을 떨다, 큰소리치다

0114

不要胡说八道。

Búyào húshuōbādào.

胡说八道 húshuōbādào 터무니없는 말을 하다

0115

你说得太轻松了吧。

Nǐ shuō de tài qīngsōng le ba.

轻松 qīngsōng 수월하다, 가볍다

0111

불길한 말을 내뱉었을 때

그놈의 입방정!

0112

날 위한 소리? 제발 이제 그만

잔소리 좀 그만해.

0113

허풍쟁이는 '吹牛大王'

허풍 떨지 마.

0114

필터링을 거치지 않고 말을 막 내뱉을 때

헛소리하지 마.

0115

정황도 잘 모르면서 쉽게 이야기하는 경우

참 쉽게도 말한다.

🎧 0116~0120.mp3

0116 ☐ ☐ ☐

真的假的?

Zhēnde jiǎde?

假的 jiǎde 가짜

0117 ☐ ☐ ☐

谁说的?

Shéi shuō de?

0118 ☐ ☐ ☐

你确定?

Nǐ quèdìng?

确定 quèdìng 확정하다, 확실히 결정을 내리다

0119 ☐ ☐ ☐

不会吧。

Bú huì ba.

0120 ☐ ☐ ☐

真是出乎意料。

Zhēnshi chūhūyìliào.

真是 zhēnshi 정말, 실로 | 出乎意料 chūhūyìliào 예상 밖이다, 뜻밖이다

73

0116

'真的吗?'보다 더 놀라움

진짜?!

0117

'대체 누가 그런 소릴 해?' 하는 느낌으로

누가 그래?

0118

'확신할 수 있어?', '진짜지?'의 느낌

확실해?

0119

'그럴 리가 없어'의 느낌

설마~

0120

배용준 결혼 소식에 다들 이 반응

진짜 예상 밖이네.

05 | 맞장구쳐 주기

0121 ☐ ☐ ☐

就是!
Jiùshì!

0122 ☐ ☐ ☐

可不是嘛。
Kěbúshi ma.

可不是 kěbúshì 왜 아니겠냐, 그렇고말고

0123 ☐ ☐ ☐

还用说吗?
Hái yòng shuō ma?

0124 ☐ ☐ ☐

谁说不是呢。
Shéi shuō bú shì ne.

0125 ☐ ☐ ☐

我也这么想。
Wǒ yě zhème xiǎng.

这么 zhème 이렇게, 이와 같은

0121

'아, 내 말이!' 하면서 맞장구칠 때

그러니까!

0122

상대방 말에 강하게 긍정하고 싶을 때

그러게 말이야.

0123

'두 번 말하면 입 아프지'의 느낌

말할 것도 없지, 뭐.

0124

'백 번 천 번 맞는 말이다!'의 느낌으로

누가 아니라니.

0125

상대방의 생각이 나와 일치할 때

나도 그렇게 생각해.

0126

哇~

Wā~

0127

哎哟~

Āiyō~

0128

吓死我了!

Xiàsǐ wǒ le!

吓 xià 무섭게 하다, 놀라게 하다

0129

我的妈呀!

Wǒ de mā ya!

0130

太好了!

Tài hǎo le!

0126

□ □ □

놀라움에 감탄을 금할 수 없을 때

와~

0127

□ □ □

다양한 상황에서 쓰는 감탄사

아이고~

0128

□ □ □

누군가 슬쩍 다가와서 '워!' 하며 놀라게 할 때

놀랐잖아!

0129

□ □ □

놀랄 때 본능적으로 튀어나오는 말

엄마야!

0130

□ □ □

일이 원하는 방향으로 이뤄졌을 때

잘됐다!

0131 □ □ □

天哪!
Tiān na!

0132 □ □ □

完蛋了!
Wándàn le!

完蛋 wándàn 끝장나다, 망하다

0133 □ □ □

真行啊!
Zhēn xíng a!

行 xíng 대단하다, 능력 있다

0134 □ □ □

好主意!
Hǎo zhǔyi!

主意 zhǔyi 생각, 아이디어

0135 □ □ □

干得好!
Gàn de hǎo!

干 gàn 일을 하다, 맡다

79

0131

□ □ □

'맙소사!', '세상에!'의 느낌

오 마이 갓!

0132

□ □ □

'이젠 끝장이다'의 느낌

망했다!

0133

□ □ □

'오, 쫌 하는데?'의 느낌

제법인데!

0134

□ □ □

좋은 의견을 낸 상대방에게

굿 아이디어!

0135

□ □ □

'잘했어!' 하고 기분 좋게 칭찬할 때

굿 잡!

🎧 0136~0140.mp3

0136

不要再问了。
Búyào zài wèn le.

0137

不用知道。
Búyòng zhīdào.

不用 búyòng ~할 필요가 없다

0138

我怎么知道?
Wǒ zěnme zhīdào?

0139

你不要掺和了。
Nǐ búyào chānhuo le.

掺和 chānhuo 끼어들다, 개입하다

0140

你少管闲事。
Nǐ shǎoguǎnxiánshì.

少管闲事 shǎoguǎnxiánshì 상관없는 일에 참견하지 않다

0136

상대방이 계속 캐물을 때

그만 좀 물어.

0137

청소년 시기에 어른들께 많이 들었던 말

몰라도 돼.

0138

'나도 몰라'보다 몇 배 센 표현

내가 어떻게 알아?

0139

성가시고 귀찮다는 느낌으로

넌 끼어들지 마.

0140

'오지랖 떨지 말고 네 일이나 잘해'의 느낌

쓸데없이 참견하지 마.

🎧 0141~0145.mp3

0141

□ □ □

你疯了?

Nǐ fēng le?

疯 fēng 미치다, 제정신이 아니다

0142

□ □ □

你呀~

Nǐ ya~

0143

□ □ □

真是的!

Zhēnshi de!

0144

□ □ □

你真幼稚。

Nǐ zhēn yòuzhì.

幼稚 yòuzhi 유치하다, 수준이 낮다

0145

□ □ □

你眼睛瞎了?

Nǐ yǎnjing xiā le?

瞎 xiā 눈이 멀다, 실명하다

83

0141

'지금 제정신이야?'의 느낌

너 미쳤어?

0142

혀를 끌끌 차며

너도 참~

0143

불만 혹은 어이없는 상황에 '아, 진짜!'의 느낌으로

참나!

0144

수준 낮게 굴 때

너 진짜 유치해.

0145

안목에 문제 있다는 느낌으로

너 눈이 삐었구나?

🎧 0146~0150.mp3

0146 ☐ ☐ ☐

太夸张了吧。

Tài kuāzhāng le ba.

夸张 kuāzhāng 과장하다

0147 ☐ ☐ ☐

别撒谎。

Bié sāhuǎng.

撒谎 sāhuǎng 거짓말하다, 허튼소리를 하다

0148 ☐ ☐ ☐

不要太任性。

Búyào tài rènxìng.

任性 rènxing 제멋대로 하다, 마음 내키는 대로 하다

0149 ☐ ☐ ☐

不要学我。

Búyào xué wǒ.

学 xué 흉내 내다, 모방하다

0150 ☐ ☐ ☐

别得寸进尺。

Bié décùnjìnchǐ.

得寸进尺 décùnjìnchǐ 욕심이 한도 끝도 없다

85

0146 □ □ □

부풀려서 과장할 때

너무 오버 아냐?

0147 □ □ □

왠지 날 속인다는 느낌이 들 때

거짓말하지 마.

0148 □ □ □

마음 내키는 대로 행동하는 사람에게

너무 멋대로 굴지 마.

0149 □ □ □

행동 혹은 말을 따라 하는 사람에게

나 따라 하지 마.

0150 □ □ □

상대방이 끝없이 욕심을 부릴 때

욕심 그만 내.

망각방지 장치 **1**

하루만 지나도 학습한 내용의 50%가 머릿속에서 도망가 버린다는 사실! 과연 여러분은? 5분 안에 아래의 25개를 말해 보세요. 아침에 한 번 했다면, 저녁에 또 한 번!

			○	×	복습
01	네가 왜 여기 있어?	你 ░░░░░ 会在这里?	☐	☐	0102
02	무슨 바람이 불어서 왔어?	什么风把你 ░░░░ 来了?	☐	☐	0103
03	왜 이제서 와?	你怎么 ░░░░ 来啊?	☐	☐	0104
04	어쩐지.	░░░░░░░░ 。	☐	☐	0106
05	내가 모를 줄 알았어?	你 ░░░░ 我不知道吗?	☐	☐	0110
06	그놈의 입방정!	░░░░░░ 嘴!	☐	☐	0111
07	잔소리 좀 그만해.	别 ░░░░░ 了。	☐	☐	0112
08	허풍 떨지 마.	别 ░░░░░ 了。	☐	☐	0113
09	진짜?!	真的 ░░░░ ?	☐	☐	0116
10	확실해?	你 ░░░░ ?	☐	☐	0118
11	진짜 예상 밖이네.	真是 ░░░░ 。	☐	☐	0120
12	그러니까!	░░░░░░ !	☐	☐	0121
13	말할 것도 없지, 뭐.	还 ░░░░ 说吗?	☐	☐	0123

정답 01 怎么 02 吹 03 才 04 怪不得 05 以为 06 乌鸦 07 唠叨 08 吹牛 09 假的 10 确定
11 出乎意料 12 就是 13 用

			○	✕	
14 누가 아니라니.	谁说	呢。	☐	☐	0124
15 아이고~		～	☐	☐	0127
16 놀랐잖아!		死我了!	☐	☐	0128
17 오 마이 갓!		哪!	☐	☐	0131
18 제법인데!	真	啊!	☐	☐	0133
19 굿 아이디어!	好	!	☐	☐	0134
20 넌 끼어들지 마.	你不要	了。	☐	☐	0139
21 너 미쳤어?	你	了?	☐	☐	0141
22 너 진짜 유치해.	你真	。	☐	☐	0144
23 너 눈이 삐었구나?	你眼睛	了?	☐	☐	0145
24 너무 오버 아냐?	太	了吧。	☐	☐	0146
25 나 따라 하지 마.	不要	我。	☐	☐	0149

맞은 개수: 25개 중 _____ **개**

당신은 그동안 _____%를 잊어버렸습니다.
틀린 문장들은 다시 한번 보고 넘어가세요.

정답 14 **不是** 15 **哎哟** 16 **吓** 17 **天** 18 **行** 19 **主意** 20 **掺和** 21 **疯** 22 **幼稚** 23 **瞎** 24 **夸张** 25 **学**

0151

你说什么?

Nǐ shuō shénme?

0152

什么意思啊?

Shénme yìsi a?

0153

有那么严重吗?

Yǒu nàme yánzhòng ma?

那么 nàme 그렇게, 저렇게 | 严重 yánzhòng 심각하다, 위급하다

0154

不是说好了吗?

Bú shì shuōhǎo le ma?

说好 shuōhǎo 약속하다, (어떻게 하기로) 말로 결정하다

0155

你怎么不早说呢?

Nǐ zěnme bù zǎo shuō ne?

早 zǎo 진작, 일찌감치

0151

못 들었거나 듣고 화가 날 때

뭐라고?

0152

말의 의미 혹은 그 의중이 궁금할 때

무슨 말이야?

0153

듣고 보니 심각할 때 혹은 '뭘 그리 심각해'의 느낌

그렇게 심각해?

0154

'설마 약속한 걸 잊은 거야?'의 느낌으로

약속했잖아?

0155

'진작 말했어야지!' 하며 나무라는 느낌으로

왜 이제야 얘길 해?

10 / 그렇구나

0156

这样啊。
Zhèyàng a.

0157

原来如此。
Yuánlái rúcǐ.

原来 yuánlái 알고 보니 ｜ 如此 rúcǐ 이와 같다, 이러하다

0158

有道理。
Yǒu dàolǐ.

道理 dàolǐ 이치, 일리

0159

然后呢?
Ránhòu ne?

然后 ránhòu 그런 후에, 그 다음에

0160

我以为怎么了呢。
Wǒ yǐwéi zěnme le ne.

0156

별거 아니지만 중요한 리액션!

그렇구나.

0157

'이제 보니 그런 거였구나'의 느낌으로

그랬구나.

0158

듣고 보니 그럴듯할 때

일리 있네.

0159

'그리고 어떻게 됐어?', '그 다음엔 어떻게 해?'의 느낌

그래서?(그 다음엔?)

0160

'我以为什么事呢'도 비슷!

난 또 뭐라고.

0161

太过分了!

Tài guòfèn le!

过分 guòfèn 지나치다, 과분하다

0162

太不像话了。

Tài búxiànghuà le.

不像话 búxiànghuà 말이 안 된다, 이치에 맞지 않다

0163

那哪行啊!

Nà nǎ xíng a!

0164

什么事都有。

Shénme shì dōu yǒu.

什么事 shénme shì 무슨 일, 별일

0165

这是什么情况?

Zhè shì shénme qíngkuàng?

情况 qíngkuàng 상황, 형편

0161 ☐ ☐ ☐

화가 난 친구에게 맞장구쳐 줄 때

너무하네!

0162 ☐ ☐ ☐

아무리 생각해도 말도 안 되는 일일 때

진짜 말도 안 돼.

0163 ☐ ☐ ☐

'그렇게는(그렇게 하면) 안 되지!'의 느낌

그건 아니지!

0164 ☐ ☐ ☐

'事' 대신 '人'을 쓰면 '별사람 다 있네'

별일이 다 있네.

0165 ☐ ☐ ☐

'대체 어떻게 된 일이야?'의 느낌으로

이게 무슨 시추에이션?

0166

你没事吧?

Nǐ méishì ba?

没事 méishì 괜찮다, 별일 없다

0167

我理解。

Wǒ lǐjiě.

理解 lǐjiě 알다, 이해하다

0168

一切都会好的。

Yíqiè dōu huì hǎo de.

一切 yíqiè 전부, 모두

0169

有舍才有得。

Yǒu shě cái yǒu dé.

舍 shě 포기하다, 버리다 | 得 dé 얻다, 획득하다

0170

会有那么一天的。

Huì yǒu nàme yìtiān de.

0166

걱정된다는 느낌으로

괜찮아?

0167

'그 마음 알아'의 느낌

이해해.

0168

긍정의 기운을 주고 싶을 때

다 잘될 거야.

0169

상실감에 빠져 슬퍼하고 있을 때

잃는 게 있어야 얻는 게 있지.

0170

'네가 바라는 그런 날이 올 거야'의 느낌

그럴 날이 있을 거야.

0171

别这样。
Bié zhèyàng.

0172

又来了。
Yòu lái le.

0173

我真服了你了。
Wǒ zhēn fúle nǐ le.

服了 fúle 두 손 들다, 고개가 수그러지다

0174

你反应太大了。
Nǐ fǎnyìng tài dà le.

反应 fǎnyìng 반응, 리액션

0175

我说不行就不行。
Wǒ shuō bùxíng jiù bùxíng.

不行 bùxíng 안 된다, 허락하지 않다

0171 □ □ □

마음에 안 드는 행동을 하거나 말리고 싶을 때

이러지 마.

0172 □ □ □

반복되는 행동에 짜증 나려고 할 때

또 시작이네.

0173 □ □ □

좋은 의미든 나쁜 의미든 '진짜 대단하다'는 느낌

너한테 진짜 졌다.

0174 □ □ □

너무 예민하게 굴 때

너무 그러지 마.

0175 □ □ □

양보 혹은 타협할 생각이 없다는 뉘앙스로

안 된다면 안 되는 줄 알아.

0176~0180.mp3

 0176

都是托你的福。

Dōu shì tuō nǐ de fú.

托福 tuōfú 덕을 보다, 신세를 지다

 0177

幸好没什么事。

Xìnghǎo méi shénme shì.

幸好 xìnghǎo 다행히, 운 좋게

 0178

谢天谢地。

Xiètiānxièdì.

 0179

不幸中的万幸。

Búxìng zhōng de wànxìng.

不幸 búxìng 불행 | 万幸 wànxìng 천만다행, 큰 행운

 0180

还好有你在。

Háihǎo yǒu nǐ zài.

还好 háihǎo 다행히, 운 좋게도

99

0176

상대방 도움으로 일이 잘 풀렸을 때

다 네 덕분이야.

0177

한시름 놓을 수 있게 되었을 때

별일 아니라 다행이야.

0178

하늘에 감사하고 땅에 감사드릴 만큼

천만다행이다.

0179

'이만하길 다행이다'라는 느낌으로

불행 중 다행이네.

0180

'네가 없었으면 어쩔 뻔'의 느낌

네가 있어 다행이야.

0181

不要哭。

Búyào kū.

哭 kū 울다

0182

想哭就哭出来吧。

Xiǎng kū jiù kūchūlai ba.

出来 chūlai (안에서 밖으로) 나오다

0183

你哭我就想哭。

Nǐ kū wǒ jiù xiǎng kū.

0184

我陪你哭。

Wǒ péi nǐ kū.

陪 péi 모시다, 동반하다

0185

不用强颜欢笑。

Búyòng qiǎngyánhuānxiào.

强颜欢笑 qiǎngyánhuānxiào 쓴웃음을 짓다

0181

울고 있는 상대방을 토닥이며

울지 마.

0182

애써 울음을 참고 있는 사람에게

울고 싶으면 울어 버려.

0183

상대방의 슬픔에 동화되어 눈물이 나려 할 때

네가 울면 나도 울고 싶어.

0184

'외롭지 않도록 같이 울어 줄게'의 느낌으로

내가 함께 울어 줄게.

0185

슬픈 마음을 감추고 애써 웃어 보이려 할 때

억지로 웃을 필요 없어.

0186

放手!

Fàngshǒu!

放手 fàngshǒu 손을 놓다, 포기하다

0187

不要管我。

Búyào guǎn wǒ.

管 guǎn 간섭하다, 참견하다

0188

别烦我。

Bié fán wǒ.

0189

不要碰我。

Búyào pèng wǒ.

碰 pèng 건드리다, 비위를 거스르다

0190

你敢!

Nǐ gǎn!

敢 gǎn 감히 ~하다, 대담하게

0186 □ □ □

손을 확 뿌리치며

이거 놔!

0187 □ □ □

좀 내버려 두라는 느낌으로

상관하지 마.

0188 □ □ □

성가시게 굴어 짜증 난다는 느낌으로

귀찮게 하지 마.

0189 □ □ □

손도 대지 말라는 느낌으로

건드리지 마.

0190 □ □ □

'네가 감히 그렇게 하나 보자!'의 느낌으로

어디 한번 해봐!

🎧 0191~0195.mp3

0191

当然。
Dāngrán.

0192

必须的!
Bìxū de!

必须 bixū 반드시 ~해야 한다

0193

当然可以。
Dāngrán kěyǐ.

0194

应该的。
Yīnggāi de.

应该 yīnggāi ~해야 한다. ~하는 것이 마땅하다

0195

有何不可呢?
Yǒu hé bùkě ne?

何 hé 무슨, 무엇 ㅣ 不可 bùkě ~할 수 없다, ~해서는 안 된다

0191

의심할 여지가 없을 때

당연하지.

0192

'반드시 하겠다'는 의지를 담아 '당연히 그래야지!'

당근!

0193

'당연히 되지, 뭘 물어봐'의 느낌으로

되고 말고.

0194

고맙다는 상대방에게 '당연히 해야 할 일을 한 것뿐'의 느낌으로

당연한 걸요.

0195

당연히 될 거라는 자신감을 담아

안 될 게 뭐 있어?

🎧 0196~0200.mp3

0196

这就完了?

Zhè jiù wán le?

0197

才这么点儿?

Cái zhème diǎnr?

才 cái 겨우, 고작 | 这么点儿 zhème diǎnr 요만큼, 얼마 안 되는 것

0198

只有这些吗?

Zhǐyǒu zhèxiē ma?

只有 zhǐyǒu ~만 있다, ~밖에 없다 | 这些 zhèxiē 이것들

0199

不值一提。

Bùzhíyìtí.

不值 bùzhí 가치가 없다 | 提 tí 꺼내다, 언급하다

0200

然后就没有然后了。

Ránhòu jiù méiyǒu ránhòu le.

0196

뭔가 더 나올 것 같은데 맥없이 끝났을 때

이게 끝이야?

0197

'많은(큰) 줄 알았더니'의 느낌으로

겨우 요거야?

0198

'더 없어?'의 느낌으로

이것뿐이야?

0199

보잘 것 없어서 혹은 겸손의 의미로

별거 아냐.

0200

'더 이상 별거 없었어'의 느낌으로

그것뿐이었지, 뭐.

망각방지 장치 1

하루만 지나도 학습한 내용의 50%가 머릿속에서 도망가 버린다는 사실! 과연 여러분은? 5분 안에 아래의 25개를 말해 보세요. 아침에 한 번 했다면, 저녁에 또 한 번!

○ × 복습

01 무슨 말이야?	什么 ___ 啊?	☐	☐	0152
02 그렇게 심각해?	有那么 ___ 吗?	☐	☐	0153
03 약속했잖아?	不是 ___ 了吗?	☐	☐	0154
04 그랬구나.	___ 如此。	☐	☐	0157
05 일리 있네.	有 ___ 。	☐	☐	0158
06 그래서?(그 다음엔?)	___ 呢?	☐	☐	0159
07 난 또 뭐라고.	我 ___ 怎么了呢。	☐	☐	0160
08 너무하네!	太 ___ 了!	☐	☐	0161
09 그건 아니지!	那 ___ 行啊!	☐	☐	0163
10 이게 무슨 시추에이션?	这是什么 ___ ?	☐	☐	0165
11 괜찮아?	你 ___ 吧?	☐	☐	0166
12 이해해.	我 ___ 。	☐	☐	0167
13 잃는 게 있어야 얻는 게 있지.	有舍 ___ 有得。	☐	☐	0169

정답 01 意思 02 严重 03 说好 04 原来 05 道理 06 然后 07 以为 08 过分 09 哪 10 情况
11 没事 12 理解 13 才

14	이러지 마.	别	。	☐ ☐	0171
15	또 시작이네.	又	了。	☐ ☐	0172
16	너한테 진짜 졌다.	我真	你了。	☐ ☐	0173
17	다 네 덕분이야.	都是	你的福。	☐ ☐	0176
18	별일 아니라 다행이야.		没什么事。	☐ ☐	0177
19	울고 싶으면 울어 버려.	想哭就	吧。	☐ ☐	0182
20	내가 함께 울어 줄게.	我	你哭。	☐ ☐	0184
21	귀찮게 하지 마.	别	我。	☐ ☐	0188
22	어디 한번 해봐!	你	！	☐ ☐	0190
23	당연한 걸요.		的。	☐ ☐	0194
24	이게 끝이야?	这就	了?	☐ ☐	0196
25	그것뿐이었지, 뭐.	就没有	了。	☐ ☐	0200

맞은 개수: 25개 중 .... **개**

당신은 그동안 _____%를 잊어버렸습니다.

틀린 문장들은 다시 한번 보고 넘어가세요.

정답 14 这样 15 来 16 服了 17 托 18 幸好 19 哭出来 20 陪 21 烦 22 敢 23 应该 24 完
25 然后

일주일이 지나면 학습한 내용의 70%를 잊어버립니다. 여러분은 몇 퍼센트나 기억하고 있을까요? 대화문으로 확인해 보세요.

---

011 송중기 사인회 현장에서 관심 없다던 친구를 만났을 때 🎧 huihua 011.mp3

A 咦? 네가 왜 여기 있어? 0102
　　Yí?

B 路过，顺便看一下。
　　Lùguò, shùnbiàn kàn yíxià.

A 骗人, 내가 모를 줄 알았어? 0110 你也喜欢宋仲基，是吧?
　　Piànrén,　　　　　　　　　　Nǐ yě xǐhuan Sòng Zhòngjī, shì ba?

B 哼，不告诉你。
　　Hng, bú gàosu nǐ.

- -

- 咦 yí 어, 아이고　路过 lùguò 지나다　顺便 shùnbiàn ~하는 김에, 겸사겸사　骗人 piànrén 속이다

---

012 중국어가 쉽다고 허풍 떨 때 🎧 huihua 012.mp3

A 我觉得学汉语真的很难。
　　Wǒ juéde xué Hànyǔ zhēnde hěn nán.

B 有什么好难的? 很好学啊。
　　Yǒu shénme hǎo nán de? Hěn hǎo xué a.

A 허풍 떨지 마. 0113 我知道你成绩不怎么样。
　　　　　　　　　　　　Wǒ zhīdào nǐ chéngjì bù zěnmeyàng.

B 뭐라고? 0151

- -

- 成绩 chéngjì 성적, 점수　不怎么样 bù zěnmeyàng 그리 좋지 않다, 시원찮다

111

011

A 어? **你怎么会在这里?** 0102
　　 Nǐ zěnme huì zài zhèlǐ?

B 지나가다 겸사겸사 좀 보려고.

A 거짓말, **你以为我不知道吗?** 0110 너도 송중기 좋아하지,
　　　　 nǐ yǐwéi wǒ bù zhīdào ma?

　 그치?

B 흥, 안 가르쳐 줘.

A 중국어 배우기 진짜 어려운 것 같아.

B 어려울 게 뭐 있어? 배우기 쉽지.

A **别吹牛了.** 0113 너 성적 별로인 거 알아.
　 Bié chuīniú le.

B **你说什么?** 0151
　 Nǐ shuō shénme?

🎧 huihua 013.mp3

A **听说明天学校放假一天!**
Tīngshuō míngtiān xuéxiào fàngjià yìtiān!

B **누가 그래?**0117 **真的吗?**
Zhēnde ma?

A **假的。**
Jiǎde.

B **너 진짜 유치해.**0144

• **放假** fàngjià 방학하다, (휴가로) 쉬다

🎧 huihua 014.mp3

A **你跟老王怎么了?**
Nǐ gēn Lǎo Wáng zěnme le?

B **你몰라도 돼.**0137
Nǐ

A **告诉我嘛，我想知道。**
Gàosu wǒ ma, wǒ xiǎng zhīdào.

B **넌 끼어들지 마,**0139 **好吗?**
hǎo ma?

A 내일 학교 하루 쉰대!

B **谁说的?** 0117 진짜야?
Shéi shuō de?

A 가짜야.

B **你真幼稚。** 0144
Nǐ zhēn yòuzhì.

A 너 라오왕하고 왜 그래?

B 넌 **不用知道。** 0137
búyòng zhīdào.

A 알려 줘라, 알고 싶은데.

B **你不要掺和了,** 0139 알겠어?
Nǐ búyào chānhuo le,

A 我跟老王和好了。
　　Wǒ gēn Lǎo Wáng héhǎo le.

B 진짜? 0116 你疯了?
　　　　　　　Nǐ fēng le?

A 不要这样说，他变了好多。
　　Búyào zhèyàng shuō, tā biànle hǎo duō.

B 진짜 말도 안 돼, 0162 你不知道他是什么样的人吗?
　　　　　　　　　　　nǐ bù zhīdào tā shì shénmeyàng de rén ma?

• 和好 héhǎo 화해하다. 사이가 다시 좋아지다　什么样 shénmeyàng 어떠한. 어떤 모습의

A 他们两个怎么了? 이게 무슨 시추에이션이야? 0165
　　Tāmen liǎng ge zěnme le?

B 吵架了。
　　Chǎojià le.

A 또 시작이네, 0172 他们两个动不动就吵架。
　　　　　　　　tāmen liǎng ge dòngbudòng jiù chǎojià.

B 就是，真讨厌。
　　Jiùshì, zhēn tǎoyàn.

• 吵架 chǎojià 말다툼하다. 다투다　动不动就 dòngbudòng jiù 걸핏하면. 툭하면

A 나 라오왕하고 다시 시작했어.

B **真的假的?** 0116 너 미쳤어?
Zhēnde jiǎde?

A 그렇게 말하지 마, 그 사람 많이 변했어.

B **太不像话了,** 0162 라오왕이 어떤 사람인지 몰라?
Tài búxiànghuà le,

A 쟤네 둘 왜 그래? **这是什么情况?** 0165
Zhè shì shénme qíngkuàng?

B 싸웠어.

A **又来了,** 0172 둘이 툭하면 싸워.
Yòu lái le,

B 그러니까, 진짜 싫다.

A 너 괜찮아?0166

B 没事，都是我的错。
Méishì, dōu shì wǒ de cuò.

A 不要这样想，你没有错。
Búyào zhèyàng xiǎng, nǐ méiyǒu cuò.

B 네가 있어 다행이야.0180

A 听说李大仁跟程又青分手了。
Tīngshuō Lǐ Dàrén gēn Chéng Yòuqīng fēnshǒu le.

B 설마~0119 前几天还好好的，怎么突然分手了？
Qián jǐ tiān hái hǎohǎo de, zěnme tūrán fēnshǒu le?

A 难道李大仁劈腿了？
Nándào Lǐ Dàrén pītuǐ le?

B 너무 오버 아냐?0146 他一直都是一心一意的。
Tā yìzhí dōu shì yìxīnyíyì de.

• **突然** tūrán 갑자기, 난데없이　**难道** nándào 설마 ~이란 말인가?　**劈腿** pītuǐ 양다리 걸치다, 바람을 피우다
一心一意 yìxīnyíyì 한마음 한뜻, 마음이 한결같다

A **你没事吧?** 0166
　　Nǐ méishì ba?

B 괜찮아, 다 내 잘못인 걸.

A 그렇게 생각하지 마, 너 잘못 없어.

B **还好有你在。** 0180
　　Háihǎo yǒu nǐ zài.

A 리따런하고 청요칭 헤어졌대.

B **不会吧。** 0119 며칠 전만 해도 좋았잖아, 왜 갑자기
　　Bú huì ba.
　　헤어져?

A 설마 리따런이 양다리 걸쳤나?

B **太夸张了吧。** 0146 걔는 늘 일편단심이었거든.
　　Tài kuāzhāng le ba.

친구가 화나서 울고 있을 때 🎧 huihua 019.mp3

A 不要生气了，我错了。
Búyào shēngqì le, wǒ cuò le.

B 走开！귀찮게 하지 마.0188
Zǒukāi!

A 不要哭，네가 울면 나도 울고 싶어.0183
Búyào kū,

B 我说走开！
Wǒ shuō zǒukāi!

데리러 올 수 있는지 물을 때 🎧 huihua 020.mp3

A 今天我六点下班，可以接我吗?
Jīntiān wǒ liù diǎn xiàbān, kěyǐ jiē wǒ ma?

B 되고 말고.0193

A 잘됐다!0130 那咱们六点见！
Nà zánmen liù diǎn jiàn!

B 好的，等我。
Hǎode, děng wǒ.

• 下班 xiàbān 퇴근하다 接 jiē 마중하다, 맞이하다

A 화내지 마, 내가 잘못했어.

B 저리 비켜! **别烦我。** 0188
　　Bié fán wǒ.

A 울지 마, **你哭我就想哭。** 0183
　　nǐ kū wǒ jiù xiǎng kū.

B 비키라고!

A 나 오늘 여섯 시 퇴근인데, 데리러 올 수 있어?

B **当然可以。** 0193
　　Dāngrán kěyǐ.

A **太好了!** 0130 그럼 우리 여섯 시에 만나!
　　Tài hǎo le!

B 그래, 기다려.

네이티브가
감정·상태를
표현할 때
자주 쓰는 표현 100

Part 3 전체 듣기

내가 지금 기분이 좋은지 나쁜지,
배가 고픈지 부른지,
감정이나 상태를 표현하는 것 역시
중국인과 소통에 무척이나 중요합니다.
감정 혹은 상태를 표현할 때
쓸 수 있는 꿀표현을 엄선해 보았습니다.

🎧 0201~0205.mp3

0201

你太客气了。

Nǐ tài kèqi le.

客气 kèqi 예의를 차리다, 정중하다

0202

好感动啊。

Hǎo gǎndòng a.

感动 gǎndòng 감동하다, 감격하다

0203

谢谢你的帮助。

Xièxie nǐ de bāngzhù.

0204

感激不尽。

Gǎnjī bújìn.

感激 gǎnjī 감격하다 | 不尽 bújìn 그지없다, 끝이 없다

0205

不知道怎么感谢才好。

Bù zhīdào zěnme gǎnxiè cái hǎo.

感谢 gǎnxiè 감사하다, 고맙게 여기다

0201 ☐ ☐ ☐

선물 받았을 때 특히 잘 쓰는 표현

뭐 이런 걸 다…

0202 ☐ ☐ ☐

격하게 고마움을 표시할 때

감동이야~

0203 ☐ ☐ ☐

내게 큰 도움을 준 상대에게

도와줘서 고마워.

0204 ☐ ☐ ☐

고맙단 말로는 너무너무 부족할 때

감격스럽기 그지없네.

0205 ☐ ☐ ☐

고마움을 어떤 말로도 표현할 수 없을 때

어떻게 감사드려야 할지.

0206~0210.mp3

0206

我向你道歉。
Wǒ xiàng nǐ dàoqiàn.

向 xiàng ~에게, ~를 향하여 | 道歉 dàoqiàn 사과하다

0207

别生气了，好吗?
Bié shēngqì le, hǎo ma?

生气 shēngqì 화내다, 성나다

0208

我不是故意的。
Wǒ bú shì gùyì de.

故意 gùyì 고의로, 일부러

0209

睁一只眼，闭一只眼吧。
Zhēng yì zhī yǎn, bì yì zhī yǎn ba.

睁 zhēng 눈을 뜨다 | 一只眼 yì zhī yǎn 한쪽 눈 | 闭 bì 닫다

0210

都是为你好。
Dōu shì wèi nǐ hǎo.

为 wèi ~를 위해

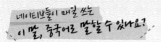

0206

□ □ □

미안한 마음을 전하고 싶을 때

사과할게.

0207

□ □ □

일단 화부터 풀어 주기

화내지 마, 응?

0208

□ □ □

'고의가 아니었어'의 느낌

일부러 그런 게 아냐.

0209

□ □ □

보고도 못 본 척, 눈 딱 감고 모르는 척

눈 딱 감고 봐 줘.

0210

□ □ □

잔소리도, 간섭도, 오지랖도…

다 널 위해서야.

🎧 0211~0215.mp3

0211

太伤感了。

Tài shānggǎn le.

伤感 shānggǎn 슬퍼하다, 감상적이 되다

0212

好想哭。

Hǎo xiǎng kū.

0213

到了想哭的程度。

Dàole xiǎng kū de chéngdù.

程度 chéngdù 정도, 지경

0214

伤心到想哭。

Shāngxīn dào xiǎng kū.

伤心 shāngxīn 슬퍼하다, 마음 아파하다

0215

痛不欲生。

Tòngbúyùshēng.

痛 tòng 아프다, 괴롭다 | 欲 yù ~하고자 하다 | 生 shēng 살다

0211

영화나 책 등을 보는데 눈물 날 때

너무 슬프다.

0212

슬퍼서, 속상해서, 혹은 너무 행복해서

울고 싶다.

0213

금방이라도 눈물이 쏟아질 것 같을 때

눈물 날 지경이야.

0214

왈칵하고 눈물 쏟을 만큼 슬픈 마음이 들 때

눈물 날 만큼 속상해.

0215

삶의 의욕이 없을 만큼 극에 달한 슬픔

죽고 싶을 만큼 슬퍼.

🎧 0216~0220.mp3

0216

笑爆了!

Xiào bào le!

爆 bào 폭발하다, 터지다

0217

开心极了!

Kāixīn jíle!

极了 jíle 매우, 아주

0218

真没劲!

Zhēn méijìn!

没劲 méijìn 재미없다, 지루하다

0219

笑得肚子疼。

Xiào de dùziténg.

疼 téng 아프다

0220

高兴得手舞足蹈。

Gāoxìng de shǒuwǔzúdǎo.

手舞足蹈 shǒuwǔzúdǎo 기뻐서 덩실덩실 춤추다

129

0216

너무 웃겨서 육성으로 뿜었을 때

빵 터진다!

0217

통장에 월급이 막 들어왔을 때

기분 짱 좋아!

0218

'웃음장례식' 치러야 할 기세

정말 노잼이네!

0219

한참 깔깔 웃어서 배가 땅기고 눈물 날 때

너무 웃어서 배 아파.

0220

너무 신나서 손발이 들썩일 때

기뻐서 춤이 절로 나오네.

🎧 0221~0225.mp3

0221 ☐ ☐ ☐

我想一个人静静。

Wǒ xiǎng yí ge rén jìngjìng.

一个人 yí ge rén 혼자, 한 사람 | 静静 jìngjìng 조용히 하다, 차분히 하다

0222 ☐ ☐ ☐

真不甘心。

Zhēn bù gānxīn.

甘心 gānxīn 달가워하다, 기꺼이 원하다

0223 ☐ ☐ ☐

我没那个心情。

Wǒ méi nàge xīnqíng.

心情 xīnqíng 마음, 기분

0224 ☐ ☐ ☐

难受得要死。

Nánshòu de yàosǐ.

难受 nánshòu 괴롭다, 견딜 수 없다

0225 ☐ ☐ ☐

我没心情开玩笑。

Wǒ méi xīnqíng kāiwánxiào.

开玩笑 kāiwánxiào 농담하다, 놀리다

0221

나 좀 혼자 내버려 둘래?

혼자 조용히 있고 싶어.

0222

뭔가 찝찝하고 달갑지 않을 때

기분 진짜 꿀꿀해.

0223

기분 안 좋은데 장난치지 마

나 그럴 기분 아냐.

0224

괴롭고, 속상해서 못 견딜 것 같을 때

괴로워 못 살겠다.

0225

분위기 파악 못하고 자꾸 농담하려 들 때

농담할 기분 아니거든.

0226

我想错了。

Wǒ xiǎngcuò le.

0227

我觉得好后悔。

Wǒ juéde hǎo hòuhuǐ.

后悔 hòuhuǐ 후회하다, 뉘우치다

0228

后悔得要死。

Hòuhuǐ de yàosǐ.

0229

一定会后悔的!

Yídìng huì hòuhuǐ de!

一定 yídìng 반드시, 꼭

0230

后悔也来不及了。

Hòuhuǐ yě láibují le.

来不及 láibují 손쓸 틈이 없다, 시간이 맞지 않다

0226

이제 보니 아니다 싶을 때

내가 잘못 생각했어.

0227

어젯밤에 먹은 치킨이

후회스러워.

0228

치킨에 콜라까지 마신 걸

뼈저리게 후회해.

0229

날 버리고 떠난 당신

후회하게 될 거야!

0230

날 버리고 떠난 당신, 이제

후회해도 늦었어.

0231

心里不舒服。

Xīnli bù shūfu.

心里 xīnli 마음속 | 不舒服 bù shūfu 기분이 나쁘다, 몸이 괴롭다

0232

心里好慌。

Xīnli hǎo huāng.

慌 huāng 허둥대다, 당황하다

0233

心里忐忑不安。

Xīnli tǎntè bù'ān.

忐忑 tǎntè 안절부절못하다, 불안하다

0234

看起来好像有心事。

Kànqǐlai hǎoxiàng yǒu xīnshì.

看起来 kànqǐlai 보아하니 | 好像 hǎoxiàng 마치 ~과 같다

0235

不要想太多。

Búyào xiǎng tài duō.

135

0231

마음이 아프거나 불편할 때

마음이 편치 않아.

0232

당황스러운 기분에 불안해 질 때

마음이 불안해.

0233

싱숭생숭하고 안절부절못하고 있을 때

마음이 조마조마해.

0234

상대방이 평소 같지 않아 보일 때

고민 있어 보이네.

0235

생각은 생각을 낳고 걱정은 걱정을 키우는 법

너무 깊이 생각하지 마.

0236

差点(儿)出事了。

Chàdiǎn(r) chūshì le.

出事 chūshì 사고가 발생하다, 일이 나다

0237

吓我一跳!

Xià wǒ yí tiào!

跳 tiào 뛰다, 두근거리다

0238

太吓人了!

Tài xiàrén le!

吓人 xiàrén 무섭다, 두렵다, 소름 끼치다

0239

起了一身鸡皮疙瘩。

Qǐle yìshēn jīpígēda.

起 qǐ 돋다, 생기다 | **一身** yìshēn 온몸 | **鸡皮疙瘩** jīpígēda 소름, 닭살

0240

好像在做梦一样。

Hǎoxiàng zài zuòmèng yíyàng.

一样 yíyàng 같다, 동일하다

0236

하마터면

큰일 날 뻔했어.

0237

놀랐을 때 무의식중으로 튀어나오는 말

깜짝이야!

0238

무섭거나 겁나거나 끔찍하거나

완전 소오~름!

0239

어찌나 끔찍하고 소름 끼치는지

닭살 돋았어.

0240

무서워서 혹은 좋아서 믿기지 않을 때

꿈꾸고 있는 것 같아.

🎧 0241~0245.mp3

0241

无法理解。

Wúfǎ lǐjiě.

无法 wúfǎ ~할 수 없다, ~할 방법이 없다

0242

真莫名其妙。

Zhēn mòmíngqímiào.

莫名其妙 mòmíngqímiào 영문을 알 수 없다, 어리둥절하다

0243

说了你也不懂。

Shuōle nǐ yě bù dǒng.

懂 dǒng 알다, 이해하다

0244

你怎么不开窍啊?

Nǐ zěnme bù kāiqiào a?

开窍 kāiqiào (생각이) 트이다, 깨닫다

0245

伤脑筋啊。

Shāngnǎojīn a.

伤脑筋 shāngnǎojīn 애를 먹다, 골머리를 앓다

139

0241

아무리 생각해도 납득이 안 갈 때

이해를 못하겠네.

0242

영문도 모르겠고, 어리둥절할 만큼

진짜 이해 불가야.

0243

'얘기해 줘도 넌 이해 못할 거야'의 느낌

말해도 넌 몰라.

0244

융통성 없이 고집부리고 있을 때

너 왜 이리 꽉 막혔니?

0245

답답해서 머리가 터질 것 같을 때

아, 골치야.

0246

我想起来了!

Wǒ xiǎngqǐlai le!

想起来 xiǎngqǐlai 생각이 나다, 떠오르다

0247

你懂的。

Nǐ dǒng de.

0248

找到感觉了。

Zhǎodào gǎnjué le.

感觉 gǎnjué 감각, 느낌

0249

终于想通了。

Zhōngyú xiǎngtōng le.

终于 zhōngyú 마침내, 드디어 | 想通 xiǎngtōng 깨닫다, 납득하다

0250

知道得一清二楚。

Zhīdào de yìqīng'èrchǔ.

一清二楚 yìqīng'èrchǔ 아주 명확하다, 뚜렷하다

0246

잠시 잊었던 것이 불현듯 떠올랐을 때

생각났다!

0247

말하지 않아도 알아요~

너도 알 거야.

0248

모호하지만, 어렴풋이 알 것 같을 때

감 잡았어.

0249

이해하고 받아들이게 되었을 때

이제야 납득이 가네.

0250

속속들이 다 꿰뚫고 있다는 느낌으로

훤히 다 알아.

망각방지 장치 1

하루만 지나도 학습한 내용의 50%가 머릿속에서 도망가 버린다는 사실! 과연 여러분은? 5분 안에 아래의 25개를 말해 보세요. 아침에 한 번 했다면, 저녁에 또 한 번!

○ × 복습

01	뭐 이런 걸 다…	你太 了。	0201
02	감격스럽기 그지없네.	不尽。	0204
03	사과할게.	我向你 。	0206
04	일부러 그런 게 아냐.	我不是 的。	0208
05	눈 딱 감고 봐 줘.	一只眼, 一只眼吧。	0209
06	너무 슬프다.	太 了。	0211
07	눈물 날 만큼 속상해.	到想哭。	0214
08	죽고 싶을 만큼 슬퍼.	痛不 。	0215
09	빵 터진다!	笑 了!	0216
10	정말 노잼이네!	真 !	0218
11	너무 웃어서 배 아파.	笑得 疼。	0219
12	기분 진짜 꿀꿀해.	真不 。	0222
13	나 그럴 기분 아냐.	我没那个 。	0223

정답 01 客气 02 感激 03 道歉 04 故意 05 睁, 闭 06 伤感 07 伤心 08 欲生 09 爆 10 没劲
11 肚子 12 甘心 13 心情

14 괴로워 못 살겠다.		得要死。	☐ ☐	`0224`
15 뼈저리게 후회해.	后悔得	。	☐ ☐	`0228`
16 후회해도 늦었어.	后悔也	了。	☐ ☐	`0230`
17 마음이 편치 않아.	心里不	。	☐ ☐	`0231`
18 마음이 조마조마해.	心里	。	☐ ☐	`0233`
19 고민 있어 보이네.	看起来好像有	。	☐ ☐	`0234`
20 완전 소오~름!	太	了!	☐ ☐	`0238`
21 닭살 돋았어.	起了一身	。	☐ ☐	`0239`
22 진짜 이해 불가야.	真	。	☐ ☐	`0242`
23 아, 골치야.		啊。	☐ ☐	`0245`
24 너도 알 거야.	你	的。	☐ ☐	`0247`
25 훤히 다 알아.	知道得	。	☐ ☐	`0250`

맞은 개수: 25개 중 _____ 개

당신은 그동안 _____%를 잊어버렸습니다.

틀린 문장들은 다시 한번 보고 넘어가세요.

정답 14 难受 15 要死 16 来不及 17 舒服 18 忐忑不安 19 心事 20 吓人 21 鸡皮疙瘩
22 莫名其妙 23 伤脑筋 24 懂 25 一清二楚

🎧 0251~0255.mp3

0251 ☐ ☐ ☐

哼！

Hng!

0252 ☐ ☐ ☐

切！

Qiè!

0253 ☐ ☐ ☐

真烦。

Zhēn fán.

0254 ☐ ☐ ☐

气死我了。

Qìsǐ wǒ le.

气死 qìsǐ 화가 나 죽을 지경이다

0255 ☐ ☐ ☐

气得要死。

Qì de yàosǐ.

0251

코로 내는 삐짐 모드

흥!

0252

입으로 내는 삐짐 모드

쳇!

0253

귀찮고, 성가시고, 싫은 그 느낌

진짜 짜증 나.

0254

애인이 게임하다 약속에 늦게 나왔을 때

열 받아 죽겠어.

0255

늦게 나온 애인이 오히려 내게 화낼 때

기가 막혀 죽겠네.

🎧 0256~0260.mp3

0256

要忍一忍。

Yào rěn yi rěn.

忍 rěn 참다, 견디다

0257

真是受够了。

Zhēnshi shòu gòu le.

受 shòu 참다, 견디다 | 够 gòu 충분하다, 넉넉하다

0258

我尽力了。

Wǒ jìnlì le.

尽力 jìnlì 온 힘을 다하다

0259

手痒痒了。

Shǒu yǎngyang le.

痒痒 yǎngyang ~하고 싶어 못 견디다, 근질근질하다

0260

浑身痒痒啊。

Húnshēn yǎngyang a.

浑身 húnshēn 전신, 온몸

147

0256

참을 인이 세 개면 살인도 면하리

참아야 하느니라.

0257

가만히 있으니까 가마니로 보이니

참을 만큼 참았어.

0258

더 이상은 나도 무리라는 느낌으로

난 할 만큼 했어.

0259

10분만 스마트폰을 못 만져도

손이 근질거리네.

0260

나가서 놀고 싶지만 내일은 HSK 보는 날

좀이 쑤시네.

真羡慕。

Zhēn xiànmù.

羡慕 xiànmù 부러워하다, 흠모하다

你在吃醋吗?

Nǐ zài chīcù ma?

吃醋 chīcù (주로 커플 사이에서) 질투하다, 시기하다

爱吃醋。

Ài chīcù.

爱 ài 툭하면 ~하다, 곧잘 ~하다

我都快吃醋了。

Wǒ dōu kuài chīcù le.

羡慕嫉妒恨。

Xiànmù jídù hèn.

嫉妒 jídù 질투하다 ｜ 恨 hèn 원망하다, 증오하다

0261

□ □ □

꽁냥꽁냥 하고 있는 커플을 보니

정말 부러워.

0262

□ □ □

'식초를 먹다'라는 말로 질투를 표현

질투하는 거야?

0263

□ □ □

애인이 툭하면 질투할 때

질투가 심해.

0264

□ □ □

질투가 부르르 날 법한 상황을 만났을 때

샘날 지경이야.

0265

□ □ □

'부러워서 질투 나고, 질투 나서 밉다'라는 말

질투 나 죽겠다.

0266

□ □ □

你翅膀硬了啊?

Nǐ chìbǎng yìng le a?

翅膀 chìbǎng 날개 | 硬 yìng 단단하다, 굳다

0267

□ □ □

脸皮真厚。

Liǎnpí zhēn hòu.

脸皮 liǎnpí 안면, 낯가죽 | 厚 hòu 두껍다

0268

□ □ □

应该觉得羞愧。

Yīnggāi juéde xiūkuì.

羞愧 xiūkuì 부끄럽다, 창피하다

0269

□ □ □

不觉得羞愧吗?

Bù juéde xiūkuì ma?

0270

□ □ □

真的不靠谱。

Zhēnde bú kàopǔ.

0266

새가 자라면서 날개깃에 힘이 생기듯

너 많이 컸다?

0267

'얼굴에 철판 깔았구나'의 느낌

진짜 뻔뻔하네.

0268

부끄러운 짓을 하고도 염치없이 굴 때

창피한 줄 알아야지.

0269

'당연히 창피해야지'의 느낌으로

부끄럽지도 않아?

0270

믿음직스럽지 않은 상대방에게

영 믿음이 안 가.

네이티브들이 매일 쓰는
이 중국어, 무슨 뜻일까요?

🎧 0271~0275.mp3

15 | 지금 네 상태가

0271

土死了。

Tǔsǐ le.

土 tǔ 촌스럽다, 유행에 뒤지다

0272

真时尚!

Zhēn shíshàng!

时尚 shíshàng 최신 유행, 시대 흐름

0273

太肉麻了。

Tài ròumá le.

肉麻 ròumá 낯간지럽다, 메스껍다

0274

果然是笨蛋。

Guǒrán shì bèndàn.

果然 guǒrán 역시, 생각한 대로 | 笨蛋 bèndàn 바보, 멍청이

0275

真人比照片更好看。

Zhēnrén bǐ zhàopiàn gèng hǎokàn.

真人 zhēnrén 실재 인물 | 照片 zhàopiàn 사진 | 更 gèng 훨씬 | 好看 hǎokàn 보기 좋다

153

0271

'응답하라'세요?

촌티 작렬이네.

0272

세련된 패셔니스타의 느낌일 때

패셔너블한데!

0273

오글오글 니글니글

완전 느끼해.

0274

상대가 바보 인증 했을 때

역시 바보구만.

0275

셀기꾼이 아니었을 때

실물이 훨 낫네.

🎧 0276~0280.mp3

0276
手头很紧。
Shǒutóu hěn jǐn.

手头 shǒutóu 수중, 경제 상태 | 紧 jǐn 빠듯하다, 넉넉하지 못하다

0277
能借我一些钱吗?
Néng jiè wǒ yìxiē qián ma?

借 jiè 빌리다, 빌려주다 | 一些 yìxiē 조금, 얼마간

0278
急需要用钱。
Jí xūyào yòng qián.

急 jí 긴급하다, 급박하다 | 需要 xūyào 필요하다

0279
钱打水漂了。
Qián dǎshuǐpiāo le.

打水漂 dǎshuǐpiāo 물수제비를 뜨다, 날리다, 낭비하다

0280
钱总是不够花。
Qián zǒngshì búgòu huā.

总是 zǒngshì 언제나 | 不够 búgòu 부족하다, 모자라다 | 花 huā 쓰다, 소비하다

155

0276

'가진 돈이 얼마 없다'는 느낌으로

주머니 사정이 어려워.

0277

친구야, 친구야, 나의 친구야

돈 조금 빌려줄 수 있니?

0278

급하게 돈이 필요할 때

돈이 좀 급해.

0279

투자는 신중히, 도박은 멀리

돈 다 날아갔어.

0280

나의 월급은 다 어디로 갔는가

늘 쓸 돈이 부족해.

0281

土豪
tǔháo

土豪 tǔháo 호족, 악덕 지주, 돈 있는 걸 뽐내는 사람

0282

请叫我土豪。
Qǐng jiào wǒ tǔháo.

0283

土豪，我们做朋友吧！
Tǔháo, wǒmen zuò péngyou ba!

做 zuò 어떤 관계가 되다

0284

含着金汤匙出生。
Hánzhe jīntāngchí chūshēng.

含 hán 입에 물다 | 汤匙 tāngchí (중국식) 국 숟가락 | 出生 chūshēng 태어나다

0285

挥金如土。
Huījīnrútǔ.

挥 huī 던지다, 흩뿌리다 | 如 rú ~과 같다

0281

교양, 지식은 없으나 하루아침에 부자가 된 자

졸부(벼락부자)

0282

돈 많은 걸 한껏 우쭐대고 싶을 때

날 졸부라고 불러 줘.

0283

'土豪'라는 신조어가 생기고 한참 유행했던 말, 돈 많아 보이는 친구에게 농담 식으로

졸부님아, 우리 친구 합세!

0284

태어날 때부터 이미 다 갖고 태어난 경우

금수저 물고 태어났어.

0285

금을 흙덩이 던지듯

돈을 물 쓰듯 해.

🎧 0286~0290.mp3

0286

说话比较直。

Shuōhuà bǐjiào zhí.

比较 bǐjiào 비교적 ｜ 直 zhí 곧다, 솔직하다, 거리낌 없다

0287

说话很伤人。

Shuōhuà hěn shāngrén.

伤人 shāngrén 남을 다치게 하다, 감정을 상하게 하다

0288

说话很毒。

Shuōhuà hěn dú.

毒 dú 독이 있다, 고약하다, 매섭다

0289

什么都敢说。

Shénme dōu gǎn shuō.

0290

说话很肆无忌惮。

Shuōhuà hěn sìwújìdàn.

肆无忌惮 sìwújìdàn 제멋대로 굴고 거리낌이 없다

159

0286

스스럼없이 직설적으로 말하는 경우

좀 돌직구야.

0287

콕콕 가슴에 박히는 말을 할 때

상처 주는 말을 해.

0288

혀에 독을 품은 듯 신랄하게 이야기할 때

독설을 해.

0289

뭐든 대담하게 다 늘어놓는 경우

못하는 말이 없어.

0290

제멋대로에다 거리낌 없이 말하는 경우

말하는 데 거침이 없어.

0291

说来话长。

Shuōláihuàcháng.

说来 shuōlái 말하자면

0292

不一定。

Bù yídìng.

0293

我已经听说了。

Wǒ yǐjīng tīngshuō le.

0294

那是你的想法。

Nà shì nǐ de xiǎngfa.

想法 xiǎngfa 생각, 의견

0295

说曹操，曹操就到。

Shuō Cáocāo, Cáocāo jiù dào.

曹操 Cáocāo 조조

0291

한두 마디로 얘기가 안 될 때

말하자면 길어.

0292

그때그때 달라질 수도 있을 때

꼭 그런 건 아냐.

0293

진작 들어서 알고 있는 경우

나도 이미 들었어.

0294

'내 생각은 좀 달라'의 느낌으로

그건 네 생각이고~

0295

조조 얘기를 했더니 조조가 왔네?

호랑이도 제 말 하면 온다더니.

🎧 0296~0300.mp3

0296

时间是良药。

Shíjiān shì liángyào.

良药 liángyào 좋은 약, 좋은 해결책

0297

眼不见心不烦。

Yǎn bú jiàn xīn bù fán.

0298

活在当下。

Huó zài dāngxià.

活 huó 살다, 생존하다 | 当下 dāngxià 즉각, 바로 그때

0299

人活着不容易。

Rén huózhe bù róngyì.

活着 huózhe 살아 있다, 살아가다 | 容易 róngyì 쉽다

0300

期望越高，失望越大。

Qīwàng yuè gāo, shīwàng yuè dà.

期望 qīwàng 기대, 바람 | 越…越~ yuè…yuè~ …할수록 ~하다 | 失望 shīwàng 실망

0296

시간이 모든 걸 해결해 줄 거야

시간이 약이야.

0297

모르는 게 차라리 속 편한 경우

모르는 게 약이지.

0298

과거에 대한 집착, 미래의 불안감을 버리고

현재를 살아라.

0299

살아가는 게 버겁게 느껴질 때

산다는 게 쉽지 않아.

0300

기대감과 실망감은 정비례 관계

기대가 클수록 실망도 큰 법이야.

망각방지 장치 1

하루만 지나도 학습한 내용의 50%가 머릿속에서 도망가 버린다는 사실! 과연 여러분은? 5분 안에 아래의 25개를 말해 보세요. 아침에 한 번 했다면, 저녁에 또 한 번!

○ ✕ 복습

01 흥!		!	0251
02 열 받아 죽겠어.		我了。	0254
03 참을 만큼 참았어.	真是	了。	0257
04 난 할 만큼 했어.	我	了。	0258
05 좀이 쑤시네.	浑身	啊。	0260
06 질투가 심해.	爱	。	0263
07 질투 나 죽겠다.	羡慕	恨。	0265
08 너 많이 컸다?	你	硬了啊?	0266
09 부끄럽지도 않아?	不觉得	吗?	0269
10 영 믿음이 안 가.	真的不	。	0270
11 패셔너블한데!	真	!	0272
12 완전 느끼해.	太	了。	0273
13 주머니 사정이 어려워.	手头很	。	0276

정답 01 哼 02 气死 03 受够 04 尽力 05 痒痒 06 吃醋 07 嫉妒 08 翅膀 09 羞愧 10 靠谱
11 时尚 12 肉麻 13 紧

14 돈 다 날아갔어.　　　　钱 _____ 了。 ☐ ☐ `0279`

15 날 졸부라고 불러 줘.　　请叫我 _____ 。 ☐ ☐ `0282`

16 금수저 물고 태어났어.　含着 _____ 出生。 ☐ ☐ `0284`

17 돈을 물 쓰듯 해.　　　挥金如 _____ 。 ☐ ☐ `0285`

18 좀 돌직구야.　　　　　说话比较 _____ 。 ☐ ☐ `0286`

19 독설을 해.　　　　　　说话很 _____ 。 ☐ ☐ `0288`

20 말하는 데 거침이 없어.　说话很 _____ 。 ☐ ☐ `0290`

21 말하자면 길어.　　　　说来 _____ 。 ☐ ☐ `0291`

22 호랑이도 제 말 하면　　说 _____ ，_____ 就到。 ☐ ☐ `0295`
　　　온다더니.

23 시간이 약이야.　　　　时间是 _____ 。 ☐ ☐ `0296`

24 현재를 살아라.　　　　活在 _____ 。 ☐ ☐ `0298`

25 기대가 클수록 실망도　　_____ 越高，失望越大。 ☐ ☐ `0300`
　　　큰 법이야.

맞은 개수: 25개 중 _____ 개

당신은 그동안 _____%를 잊어버렸습니다.

틀린 문장들은 다시 한번 보고 넘어가세요.

정답 14 打水漂 15 土豪 16 金汤匙 17 土 18 直 19 毒 20 肆无忌惮 21 话长 22 曹操 23 良药
24 当下 25 期望

021 생일 선물을 주고 받을 때 🎧 huihua 021.mp3

A 祝你生日快乐! 这是我的小心意。
Zhù nǐ shēngrì kuàilè! Zhè shì wǒ de xiǎo xīnyì.

B 뭐 이런 걸 다.0201 谢谢你。
Xièxie nǐ.

A 不用谢。希望你喜欢。
Búyòng xiè. Xīwàng nǐ xǐhuan.

B 很喜欢, 감동이야!0202
Hěn xǐhuan,

• 祝 zhù 축하하다　心意 xīnyì 마음, 성의

022 화가 난 친구와 대화할 때 🎧 huihua 022.mp3

A 气死我了，我不去了。
Qìsǐ wǒ le, wǒ bú qù le.

B 사과할게,0206 消消气吧。
xiāoxiāoqì ba.

A 혼자 조용히 있고 싶어,0221 请你出去。
qǐng nǐ chūqù.

B 好吧，我先出去，一会儿再聊。
Hǎo ba, wǒ xiān chūqù, yíhuìr zài liáo.

• 消气 xiāoqì 화를 풀다, 마음을 진정시키다

A 생일 축하해! 이건 내 작은 성의야.

B **你太客气了。**0201 고마워.
  Nǐ tài kèqi le.

A 고맙긴. 마음에 들었으면 좋겠다.

B 마음에 들어, **好感动啊!** 0202
  hǎo gǎndòng a!

A 열 받아 죽겠네, 나 안 갈래.

B **我向你道歉,** 0206 화 풀어.
  Wǒ xiàng nǐ dàoqiàn,

A **我想一个人静静,** 0221 나가 줘.
  Wǒ xiǎng yí ge rén jìngjìng,

B 알았어, 일단 나갈게, 이따 다시 얘기하자.

🎧 huihua 023.mp3

A 我考试通过了, 기분 짱 좋아! 0217 咱们去看电影吧!
Wǒ kǎoshì tōngguò le, Zánmen qù kàn diànyǐng ba!

B 你自己去吧。 나 그럴 기분 아냐. 0223
Nǐ zìjǐ qù ba.

A 怎么了?
Zěnme le?

B 我又考砸了。
Wǒ yòu kǎo zá le.

• **通过** tōngguò 통과하다

🎧 huihua 024.mp3

A 当初我不应该跟他发脾气。
Dāngchū wǒ bù yīnggāi gēn tā fāpíqi.

B 都过去了, 别再想了。
Dōu guòqù le, bié zài xiǎng le.

A 후회스러워. 0227

B 너무 깊이 생각하지 마, 0235 现在后悔有什么用?
xiànzài hòuhuǐ yǒu shénme yòng?

• **当初** dāngchū 그때, 당시 **发脾气** fāpíqi 성질부리다, 화내다 **过去** guòqù 지나가다

A   나 시험 통과했다, **开心极了!** ⁰²¹⁷ 우리 영화 보러 가자!
         kāixīn jíle!

B   너 혼자 가. **我没那个心情。** ⁰²²³
         Wǒ méi nàge xīnqíng.

A   왜 그래?

B   나 시험 또 망쳤어.

A   그때 그 사람한테 화내는 게 아니었는데.

B   다 지난 일이야, 그만 생각해.

A   **我觉得好后悔。** ⁰²²⁷
         Wǒ juéde hǎo hòuhuǐ.

B   **不要想太多,** ⁰²³⁵ 지금 후회한들 무슨 소용이야?
         Búyào xiǎng tài duō,

🎧 huihua 025.mp3

A　**你为什么帮小丽的忙?**
　　Nǐ wèishénme bāng Xiǎo Lì de máng?

B　**不能帮她吗? 难道 질투하는 거야?** 0262
　　Bù néng bāng tā ma? Nándào

A　**对，羡慕嫉妒恨! 쳇!** 0252
　　Duì, xiànmù jìdù hèn!

B　**哈哈，你太可爱了。**
　　Hāhā, nǐ tài kě'ài le.

🎧 huihua 026.mp3

A　**你怎么这样对我? 진짜 뻔뻔하다.** 0267
　　Nǐ zěnme zhèyàng duì wǒ?

B　**我又不是故意的。别生气了，好吗?**
　　Wǒ yòu bú shì gùyì de.　Bié shēngqì le, hǎo ma?

A　**气死我了。我们分手吧, 참을 만큼 참았어.** 0257
　　Qìsǐ wǒ le.　Wǒmen fēnshǒu ba,

B　**除了对不起都不知道说什么。**
　　Chúle duìbuqǐ dōu bù zhīdào shuō shénme.

A   너 왜 샤오리 일을 도와주는 거야?

B   도와주면 안 돼? 설마 **你在吃醋吗?** 0262
                               nǐ zài chīcù ma?

A   그래, 질투 나 죽겠다! **切!** 0252
                              Qiè!

B   하하, 너 너무 귀엽다.

A   네가 나한테 어떻게 이래? **脸皮真厚。** 0267
                                 Liǎnpí zhēn hòu.

B   나도 고의로 그런 게 아냐. 화내지 마, 응?

A   열 받아 죽겠다. 우리 헤어져, **真是受够了。** 0257
                                 zhēnshi shòu gòu le.

B   미안하단 말밖에 할 말이 없다.

A 你跟小丽道歉了吗?
Nǐ gēn Xiǎo Lì dàoqiàn le ma?

B 我为什么跟她道歉? 진짜 짜증 나.⁰²⁵³
Wǒ wèishénme gēn tā dàoqiàn?

A 明明就是你的错误，你 부끄럽지도 않아?⁰²⁶⁹
Míngmíng jiùshì nǐ de cuòwù, nǐ

B 不要胡说八道，我没有错。
Búyào húshuōbādào, wǒ méiyǒu cuò.

- **明明** míngmíng 분명히, 명백히 　**错误** cuòwù 잘못, 착오

A 你看，你看，就是他。
Nǐ kàn, nǐ kàn, jiùshì tā.

B 他是谁? 啊，생각났다,⁰²⁴⁶ 你手机相册里的那个?
Tā shì shéi? À, 　　　　　　　nǐ shǒujī xiàngcèli de nàge?

A 是啊，怎么样?
Shì a, zěnmeyàng?

B 실물이 훨 낫네.⁰²⁷⁵

- **相册** xiàngcè 앨범, 사진첩

A 너 샤오리한테 사과했어?

B 내가 왜 개한테 사과를 해? **真烦。**0253
　　　　　　　　　　　　　Zhēn fán.

A 분명 네가 잘못해 놓고, 넌 **不觉得羞愧吗?**0269
　　　　　　　　　　　　　bù juéde xiūkuì ma?

B 허튼소리 하지 마, 난 잘못 없어.

A 봐 봐, 봐 봐, 그 사람이야.

B 저 사람이 누군데? 아, **我想起来了,**0246 네 휴대폰
　　　　　　　　　　　　wǒ xiǎngqǐlai le,

　사진첩에 있던 그 사람?

A 그래, 어때?

B **真人比照片更好看。**0275
　Zhēnrén bǐ zhàopiàn gèng hǎokàn.

A　那个……
　　Nàge…

B　需要钱吗?
　　Xūyào qián ma?

A　能借我一些钱吗? 最近주머니 사정이 어려워.0276
　　Néng jiè wǒ yìxiē qián ma? Zuìjìn

B　你总是돈을 물 쓰듯 해.0285
　　Nǐ zǒngshì

A　我被老王甩了!
　　Wǒ bèi Lǎo Wáng shuǎi le!

B　怎么被甩了?
　　Zěnme bèi shuǎi le?

A　말하자면 길어.0291

B　忘记他吧，시간이 약이야.0296
　　Wàngjì tā ba,

- -

● 甩 shuǎi (커플 사이에서) 차다　忘记 wàngjì 잊어버리다, 잊다

A　저기….

B　돈 필요해?

A　돈 조금 빌려줄 수 있어? 요즘 **手头很紧。** 0276
　　　　　　　　　　　　　　　　shǒutóu hěn jǐn.

B　너는 늘 **挥金如土。** 0285
　　　　　huījīnrútǔ.

A　나 라오왕한테 차였어!

B　어째서 차였어?

A　**说来话长。** 0291
　　Shuōláihuàcháng.

B　그 사람 잊어버려, **时间是良药。** 0296
　　　　　　　　　　　　shíjiān shì liángyào.

네이티브가
다툴 때
자주 쓰는 표현 100

Part 4 전체 듣기

중국인과 다툴 일, 없어야 좋겠지만
연인이든 친구든 피해갈 수 없다면
의사 표현을 확실히 해야겠죠.
중국인들이 다툴 때 자주 쓰는 표현을
모으고 또 모아 봤습니다.

🎧 0301~0305.mp3

0301 ☐ ☐ ☐

你在生我的气吗?

Nǐ zài shēng wǒ de qì ma?

0302 ☐ ☐ ☐

你还生我的气吗?

Nǐ hái shēng wǒ de qì ma?

0303 ☐ ☐ ☐

我能不生气吗?

Wǒ néng bù shēngqì ma?

0304 ☐ ☐ ☐

我生什么气呀。

Wǒ shēng shénme qì ya.

0305 ☐ ☐ ☐

我不是有意惹你生气。

Wǒ bú shì yǒuyì rě nǐ shēngqì.

有意 yǒuyì 일부러, 고의로

179

0301

□ □ □

왠지 나에게 뾰로통해 있는 상대방에게

너 나한테 화났어?

0302

□ □ □

이쯤이면 화 풀렸을 줄 알았는데

아직도 나한테 화났어?

0303

□ □ □

'어떻게 화를 안 내?'의 느낌으로

화 안 나게 생겼어?

0304

□ □ □

'내가 언제 화를 냈다고 그래'의 느낌으로

화는 무슨.

0305

□ □ □

일부러 화를 돋우려던 건 아니라는 의미로

널 화나게 하려던 건 아냐.

0306

管你什么事?
Guǎn nǐ shénme shì?

0307

管我什么事?
Guǎn wǒ shénme shì?

0308

凭什么啊?
Píng shénme a?

凭 píng ~에 의거하여, 근거하여

0309

你以为你是谁?
Nǐ yǐwéi nǐ shì shéi?

0310

我不在乎。
Wǒ bú zàihu.

在乎 zàihu 마음속에 두다, 신경 쓰다

0306

☐ ☐ ☐

너무 오지랖 넓게 참견한다 싶을 때

네가 무슨 상관이야?

0307

☐ ☐ ☐

나랑 관련 없는 일로 왈가왈부할 때

그게 나랑 무슨 상관이야?

0308

☐ ☐ ☐

'도대체 뭘 믿고?', '무슨 근거로?'의 느낌

뭘 믿고 그래?

0309

☐ ☐ ☐

'네가 무슨 자격으로?'의 느낌

네가 뭔데?

0310

☐ ☐ ☐

아이 돈 케어~

알게 뭐야.

0311

太让人失望了。

Tài ràng rén shīwàng le.

0312

你太自私了。

Nǐ tài zìsī le.

自私 zìsī 이기적이다

0313

我跟你绝交。

Wǒ gēn nǐ juéjiāo.

绝交 juéjiāo 절교하다, 관계를 끊다

0314

真是不可救药。

Zhēnshi bùkějiùyào.

不可救药 bùkějiùyào 병이 심해서 치료할 방법이 없다

0315

活该！

Huógāi!

0311 □ □ □

'네가 이럴 줄 몰랐어'의 느낌

정말 실망이다.

0312 □ □ □

상대방이 자기 생각만 할 때

넌 너무 이기적이야.

0313 □ □ □

우정을 지속하기 힘들겠다 싶을 때

너랑 절교야.

0314 □ □ □

약도 소용없을 정도로 치료 불가

정말 구제 불능이네.

0315 □ □ □

'그래도 싸다!' 하며 고소해 하는 느낌으로

쌤통이다!

0316

有什么话你就说吧。

Yǒu shénme huà nǐ jiù shuō ba.

0317

你先听我说。

Nǐ xiān tīng wǒ shuō.

先 xiān 먼저, 우선

0318

怎么不说话?

Zěnme bù shuōhuà?

0319

我跟你说话呢。

Wǒ gēn nǐ shuōhuà ne.

0320

我问你话呢。

Wǒ wèn nǐ huà ne.

0316

가만히 있지 말고, 돌려 말하지 말고

할 말 있음 해 봐.

0317

화부터 내지 말고

일단 내 얘기 들어 봐.

0318

말문이 막힌 듯 가만히 있을 때

왜 말이 없어?

0319

'내가 지금 얘기하고 있잖아'의 느낌으로

사람 말 안 들려?

0320

'내가 지금 묻고 있잖아'의 느낌으로

묻는 거 안 들려?

0321 □ □ □

我跟你没法聊。

Wǒ gēn nǐ méifǎ liáo.

没法 méifǎ 불가능하다, 결코 ~할 수 없다

0322 □ □ □

我真不明白。

Wǒ zhēn bù míngbai.

明白 míngbai 이해하다, 알다

0323 □ □ □

真是说不到一块儿。

Zhēnshi shuōbudào yíkuàir.

说不到 shuōbudào 의견이 일치하지 않다 | 一块儿 yíkuàir 동일한 곳, 같은 곳

0324 □ □ □

我跟你说过多少次了!

Wǒ gēn nǐ shuōguo duōshao cì le!

0325 □ □ □

你把我的话当什么了?

Nǐ bǎ wǒ de huà dàng shénme le?

187

0321

아무리 이야기해도 답답할 때

너랑 대화가 안 된다.

0322

이해하려 해도 이해가 안 될 때

진짜 이해가 안 되네.

0323

벽 보고 이야기하는 기분일 때

진짜 말이 안 통하네.

0324

했던 말 또 하게 만들 때

내가 몇 번을 말했니!

0325

말을 잘못 알아듣거나 안 듣는 거 같을 때

내 말을 뭘로 들은 거야?

06 | 솔직해 봐

0326

有话直说。
Yǒu huà zhí shuō.

0327

是不是有事瞒着我?
Shì bu shì yǒu shì mánzhe wǒ?

瞒 mán 감추다, 속이다

0328

可以跟我坦白一点儿吗?
Kěyǐ gēn wǒ tǎnbái yìdiǎnr ma?

坦白 tǎnbái 솔직하게 말하다, 숨김없이 터놓다

0329

我跟你说实话。
Wǒ gēn nǐ shuō shíhuà.

实话 shíhuà 솔직한 말, 참말

0330

承认事实吧。
Chéngrèn shìshí ba.

承认 chéngrèn 인정하다, 시인하다 | 事实 shìshí 사실

0326

우물쭈물 빙빙 돌리지 말고

할 말 있음 솔직히 말해.

0327

왠지 뭔가 있는 듯할 때

나한테 뭐 숨기는 거 있지?

0328

허심탄회한 이야기를 듣고 싶을 때

나한테 솔직하게 말해 줄래?

0329

숨기지 않겠다는 느낌으로

솔직히 말할게.

0330

회피하지 말고 솔직하게

사실을 인정해.

0331

你怎么能这么做?
Nǐ zěnme néng zhème zuò?

0332

为什么这样对我?
Wèishénme zhèyàng duì wǒ?

0333

你把我当成什么了?
Nǐ bǎ wǒ dàngchéng shénme le?

当成 dàngchéng ～으로 여기다, 삼다

0334

我哪有?
Wǒ nǎ yǒu?

0335

你以为我傻吗?
Nǐ yǐwéi wǒ shǎ ma?

傻 shǎ 어리석다, 미련하다

0331 ☐ ☐ ☐

믿었던 상대방이 심한 행동을 했을 때

너 어떻게 이럴 수 있어?

0332 ☐ ☐ ☐

날 서운하게 하는 상대방에게

나한테 왜 이러는 거야?

0333 ☐ ☐ ☐

무시 당한 느낌이 들 때

날 뭘로 보는 거야?

0334 ☐ ☐ ☐

'내가 언제 그랬다는 거야'의 느낌

내가 언제?

0335 ☐ ☐ ☐

날 바보 취급할 때

내가 바보인 줄 알아?

0336

我怎么了?

Wǒ zěnme le?

0337

你是我谁呀?

Nǐ shì wǒ shéi ya?

0338

你让我怎么办?

Nǐ ràng wǒ zěnme bàn?

0339

你让我怎么办才好?

Nǐ ràng wǒ zěnme bàn cái hǎo?

0340

你在胡说八道什么啊?

Nǐ zài húshuōbādào shénme a?

0336

'내가 뭘 어쨌다고?'의 느낌

내가 뭘?

0337

나한테 중요한 존재라고 착각하고 있을 때

네가 나한테 뭔데?

0338

'나보고 어떻게 하라는 거야?'의 느낌

나보고 어쩌라고?

0339

도대체 어떻게 해 줘야 좋을지 묻고 싶을 때

내가 어떻게 해 줘야 좋을까?

0340

말도 안 되는 소리를 내뱉을 때

무슨 헛소리를 하는 거야?

🎧 0341~0345.mp3

0341

☐ ☐ ☐

打住!

Dǎzhù!

0342

☐ ☐ ☐

够了!

Gòule!

0343

☐ ☐ ☐

少来!

Shǎolái!

0344

☐ ☐ ☐

走开!

Zǒukāi!

0345

☐ ☐ ☐

实在受不了了。

Shízài shòubuliǎo le.

实在 shízài 확실히, 정말

0341 ☐ ☐ ☐

'오케이, 거기까지!'의 느낌

그만!

0342 ☐ ☐ ☐

'이만하면 됐잖아'의 느낌

그만해!

0343 ☐ ☐ ☐

수작 부리지 말라는 느낌

작작 좀 해!

0344 ☐ ☐ ☐

앞을 막아서며 귀찮게 굴 때

저리 비켜!

0345 ☐ ☐ ☐

참을성이 한계에 다다랐을 때

진짜 못 참겠다.

🎧 0346~0350.mp3

0346

自以为是的。

Zìyǐwéishì de.

自以为是 zìyǐwéishì 자기가 잘났다고 생각하다

0347

别自以为是了。

Bié zìyǐwéishì ḷe.

0348

你还敢说别人?

Nǐ hái gǎn shuō biéren?

0349

你赢了，好吗?

Nǐ yíng le, hǎo ma?

赢 yíng 이기다, 승리하다

0350

什么人都有啊。

Shénme rén dōu yǒu a.

0346

우쭐대는 너, 얄밉다

잘난 척하긴.

0347

우쭐대는 너, 그만해 줘

잘난 척하지 마.

0348

본인 생각 못하고 남 이야기를 할 때

네가 지금 남 말 할 때야?

0349

'옛다~ 내가 져 준다, 져 줘'의 느낌

네가 이겼다, 됐어?

0350

살다 보면 이런 사람 저런 사람 다 있지

별별 인간 다 있네.

하루만 지나도 학습한 내용의 50%가 머릿속에서 도망가 버린다는 사실! 과연 여러분은? 5분 안에 아래의 25개를 말해 보세요. 아침에 한 번 했다면, 저녁에 또 한 번!

		○	×	복습
01 화 안 나게 생겼어?	我能不 _____ 吗?	☐	☐	0303
02 널 화나게 하려던 건 아냐.	我不是有意 _____ 你生气。	☐	☐	0305
03 뭘 믿고 그래?	_____ 什么啊?	☐	☐	0308
04 넌 너무 이기적이야.	你太 _____ 了。	☐	☐	0312
05 정말 구제 불능이네.	真是不可 _____ 。	☐	☐	0314
06 쌤통이다!	_____ !	☐	☐	0315
07 왜 말이 없어?	_____ 不说话?	☐	☐	0318
08 묻는 거 안 들려?	我 _____ 你话呢。	☐	☐	0320
09 진짜 말이 안 통하네.	真是说不到 _____ 。	☐	☐	0323
10 내 말을 뭘로 들은 거야?	你把我的话 _____ 什么了?	☐	☐	0325
11 나한테 뭐 숨기는 거 있지?	是不是有事 _____ 我?	☐	☐	0327
12 나한테 솔직하게 말해 줄래?	可以跟我 _____ 一点儿吗?	☐	☐	0328

정답　01 生气　02 惹　03 凭　04 自私　05 救药　06 活该　07 怎么　08 问　09 一块儿　10 当　11 瞒着
12 坦白

13 사실을 인정해.　　　　　　　　　　事实吧。 ☐ ☐ `0330`

14 내가 언제?　　　我　　　　　　　　　　? ☐ ☐ `0334`

15 내가 바보인 줄 알아?　你以为我　　　　　　吗? ☐ ☐ `0335`

16 내가 뭘?　　　我　　　　　　　　　　? ☐ ☐ `0336`

17 나보고 어쩌라고?　你　　　　　　我怎么办? ☐ ☐ `0338`

18 무슨 헛소리를 하는 거야?　你在　　　　　什么啊? ☐ ☐ `0340`

19 그만!　　　　　　　　　　　　住! ☐ ☐ `0341`

20 작작 좀 해!　　　　　　　　　　来! ☐ ☐ `0343`

21 진짜 못 참겠다.　　　　　　　受不了了。 ☐ ☐ `0345`

22 잘난 척하지 마.　别　　　　　　　了。 ☐ ☐ `0347`

23 네가 지금 남 말 할 때야?　你还　　　　说别人? ☐ ☐ `0348`

24 네가 이겼다, 됐어?　你　　　　　　, 好吗? ☐ ☐ `0349`

25 별별 인간 다 있네.　　　　　　人都有啊。 ☐ ☐ `0350`

맞은 개수: 25개 중 _____ 개

당신은 그동안 _____%를 잊어버렸습니다.
틀린 문장들은 다시 한번 보고 넘어가세요.

정답 **13** 承认 **14** 哪有 **15** 傻 **16** 怎么了 **17** 让 **18** 胡说八道 **19** 打 **20** 少 **21** 实在 **22** 自以为是
23 敢 **24** 赢了 **25** 什么

0351 ☐☐☐

你又不是小孩儿。

Nǐ yòu bú shì xiǎoháir.

0352 ☐☐☐

你的岁数白长了。

Nǐ de suìshù bái zhǎng le.

岁数 suìshù 나이, 연령 | 白 bái 헛되이, 공연히

0353 ☐☐☐

你的岁数都长到哪儿去了?

Nǐ de suìshù dōu zhǎngdào nǎr qù le?

0354 ☐☐☐

你多大了还这样!

Nǐ duōdàle hái zhèyàng!

0355 ☐☐☐

做符合年龄的事。

Zuò fúhé niánlíng de shì.

符合 fúhé 부합하다, 들어맞다 | 年龄 niánlíng 나이, 연령

0351

애처럼 유치하게 굴 때

네가 애도 아니고.

0352

나이를 먹고도 행동은 애 같을 때

너 나이를 헛먹었구나.

0353

나이를 먹고도 달라진 게 없을 때

나이를 어디로 먹었니?

0354

나이를 먹고도 여전히 철없이 굴 때

나이가 몇 갠데 아직도 이래!

0355

나이에 맞지 않는 행동을 할 때

나잇값을 해야지.

🎧 0356~0360.mp3

0356

☐ ☐ ☐

说话小心点儿。

Shuōhuà xiǎoxīn diǎnr.

0357

☐ ☐ ☐

小点儿声。

Xiǎo diǎnr shēng.

声 shēng 소리, 목소리

0358

☐ ☐ ☐

等着瞧吧。

Děngzhe qiáo ba.

瞧 qiáo 보다

0359

☐ ☐ ☐

我没跟你开玩笑。

Wǒ méi gēn nǐ kāiwánxiào.

0360

☐ ☐ ☐

人的忍耐是有限的。

Rén de rěnnài shì yǒuxiàn de.

忍耐 rěnnài 인내하다, 참다 | 有限 yǒuxiàn 한계가 있다

203

0356

입 밖으로 나온 말, 다시 삼킬 수 없으니

말조심해.

0357

'쉿, 다른 사람들이 듣겠다!'의 느낌으로

소리 좀 낮춰.

0358

나를 무시한 당신

두고 보자.

0359

내 말을 진지하게 듣지 않을 때

나 농담 아니야.

0360

인내심이 바닥나려 할 때

참는 데도 한계가 있어.

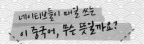

🎧 0361~0365.mp3

0361

你有没有替我想过?

Nǐ yǒu méiyǒu tì wǒ xiǎngguo?

替 tì 대신하다, ~를 위해

0362

我是这种人吗?

Wǒ shì zhè zhǒng rén ma?

0363

请你站在我的立场上想想。

Qǐng nǐ zhàn zài wǒ de lìchǎngshang xiǎngxiang.

站 zhàn 서다, ~의 입장에 서다 | 立场 lìchǎng 입장, 관점

0364

一句对不起，够吗?

Yí jù duìbuqǐ, gòu ma?

0365

退一万步说，就算是我的错。

Tuì yíwàn bù shuō, jiù suànshì wǒ de cuò.

退 tuì 물러서다 | 一万步 yíwàn bù 1만 보 | 算是 suànshì ~으로 간주하다

205

0361

본인 입장만 생각할 때

내 생각은 해 봤어?

0362

나를 이상하게 오해하고 있을 때

내가 그런 사람이야?

0363

역지사지

내 입장도 생각해 줘.

0364

상대방이 사과 한마디로 끝내려 할 때

미안하다면 다야?

0365

중국은 '만 걸음 물러서서'로 표현

백번 양보해서 내 잘못이라 치자.

14 │ 오해하지 마

0366

千万别误会。

Qiānwàn bié wùhuì.

千万 qiānwàn 부디, 절대로

0367

没别的意思。

Méi biéde yìsi.

0368

我不是那个意思。

Wǒ bú shì nàge yìsi.

0369

我想你误会了。

Wǒ xiǎng nǐ wùhuì le.

0370

不是你想的那样。

Bú shì nǐ xiǎng de nàyàng.

0366

크게 오해를 샀을 때

제발 오해하지 마.

0367

오해해서 듣지 말라는 느낌으로

다른 뜻은 없어.

0368

내 말을 잘못 알아들었을 때

내 말은 그게 아니라…

0369

아무리 봐도 내 뜻을 오해한 거 같을 때

네가 오해한 거 같아.

0370

상대방이 다른 의미로 오해한 듯할 때

네가 생각하는 그런 거 아냐.

0371

不要找借口了。

Búyào zhǎo jièkǒu le.

借口 jièkǒu 핑계, 구실

0372

不要拐弯抹角的。

Búyào guǎiwānmòjiǎo de.

拐弯抹角 guǎiwānmòjiǎo 구불구불 돌아가다, 말을 빙빙 돌려 하다

0373

别装蒜了。

Bié zhuāngsuàn le.

装蒜 zhuāngsuàn 시치미 떼다, 모르는 체하다

0374

不要摆布我。

Búyào bǎibù wǒ.

摆布 bǎibù 좌지우지하다, 조종하다

0375

别逼我。

Bié bī wǒ.

逼 bī 강압하다, 협박하다

0371

구구절절 변명하려는 사람에게

핑계 대지 마.

0372

구불구불 길을 돌아가듯 말할 때

말 빙빙 돌리지 마.

0373

알면서도 모르는 척할 때

시치미 떼지 마.

0374

나를 좌지우지하려고 할 때

이래라저래라 하지 마.

0375

억지로 시키려 할 때

강요하지 마.

0376

别打断我的话。

Bié dǎduàn wǒ de huà.

打断 dǎduàn 끊다, 자르다

0377

不要瞧不起人。

Búyào qiáobuqǐ rén.

瞧不起 qiáobuqǐ 무시하다, 깔보다

0378

别那样和我说话。

Bié nàyàng hé wǒ shuōhuà.

0379

以后别再这样做了。

Yǐhòu bié zài zhèyàng zuò le.

0380

别往心里去。

Bié wǎng xīnli qù.

往心里去 wǎng xīnli qù 마음에 두다, 신경 쓰다

0376 □ □ □

자꾸 내 말을 잘라먹을 때

내 말 끊지 마.

0377 □ □ □

날 물로 보는 것 같을 때

사람 무시하지 마.

0378 □ □ □

말을 가려 하지 않을 때

그런 식으로 얘기하지 마.

0379 □ □ □

'下不为例(이번이 마지막이야)'의 느낌

앞으로 다시는 그러지 마.

0380 □ □ □

훌훌 털어 버리라고 할 때

마음에 두지 마.

0381

都是我的错。

Dōu shì wǒ de cuò.

0382

是我不好。

Shì wǒ bù hǎo.

0383

这事儿全怪我。

Zhè shìr quán guài wǒ.

全 quán 전부, 완전히 ｜ 怪 guài 원망하다, 꾸짖다

0384

我错了还不行吗?

Wǒ cuòle hái bùxíng ma?

0385

我再也不这么做了。

Wǒ zàiyě bú zhème zuò le.

213

0381

스스로 잘못을 인정할 때

다 내 잘못이야.

0382

나 때문에 벌어진 일일 때

내가 나빴어.

0383

'이번 일은 전부 내 잘못이야'의 느낌

이번 일은 다 내 탓이야.

0384

'그래, 다 내 잘못이니까 그만해'의 느낌

내가 잘못했다니까?

0385

잘못을 반복하지 않겠다는 듯

다시는 안 그럴게.

0386

你没有错。

Nǐ méiyǒu cuò.

0387

我没做错什么。

Wǒ méi zuòcuò shénme.

0388

我又没做坏事。

Wǒ yòu méi zuò huàishì.

坏事 huàishì 나쁜 일

0389

半毛钱错误都没有。

Bàn máo qián cuòwù dōu méiyǒu.

半 bàn 절반 | 毛 máo 중국 화폐 단위(1위안의 1/10)
'반 푼어치/아주 조금도'를 나타낼 때 '半毛钱'을 쓰곤 한다.

0390

不要把无辜的人拉扯进来。

Búyào bǎ wúgū de rén lāchejìnlai.

无辜 wúgū 무고하다, 죄가 없다 | 拉扯 lāche 끌어들이다, 연류 시키다

0386

잘못한 게 없는 상대방에게

넌 잘못 없어.

0387

아무 잘못이 없을 때

난 잘못한 거 없어.

0388

내가 한 행동이 옳다고 생각할 때

내가 나쁜 짓을 한 것도 아니고.

0389

조금의 잘못도 없다고 말할 때

눈곱만큼의 잘못도 없어.

0390

괜히 애먼 사람 끌어들일 때

죄 없는 사람 끌어들이지 마.

🎧 0391~0395.mp3

0391

请接受我的道歉。

Qǐng jiēshòu wǒ de dàoqiàn.

接受 jiēshòu 받아들이다

0392

我接受你的道歉。

Wǒ jiēshòu nǐ de dàoqiàn.

0393

除了对不起还是对不起。

Chúle duìbuqǐ háishi duìbuqǐ.

除了 chúle ~을 제외하고, ~외에

0394

除了对不起都不知道说什么。

Chúle duìbuqǐ dōu bù zhīdào shuō shénme.

0395

如果无意中伤了你，真不好意思。

Rúguǒ wúyìzhōng shāngle nǐ, zhēn bùhǎoyìsi.

如果 rúguǒ 만약, 만일 | 无意中 wúyìzhōng 무심결에, 본의 아니게

217

0391

진심으로 사과의 마음을 전할 때

내 사과 받아 줘.

0392

상대방의 사과를 받아줄 때

네 사과 받아들일게.

0393

온통 미안한 마음뿐일 때

그저 미안한 마음뿐이야.

0394

입이 열 개라도

미안하단 말밖에 할 말이 없다.

0395

아무 생각 없이 한 말에 상대가 상처를 받았을 때

상처를 줬다면, 정말 미안해.

🎧 0396~0400.mp3

0396

我太过分了。

Wǒ tài guòfèn le.

0397

我反应过激了。

Wǒ fǎnyìng guòjī le.

过激 guòjī 과격하다

0398

再给我一次机会吧。

Zài gěi wǒ yí cì jīhuì ba.

机会 jīhuì 기회

0399

我会好好儿改。

Wǒ huì hǎohāor gǎi.

0400

我会好好儿反省。

Wǒ huì hǎohāor fǎnxǐng.

反省 fǎnxǐng 반성하다

219

0396

말이나 행동이 심했다 싶을 때

내가 너무 심했어.

0397

너무 예민하게 반응했을 때

내가 좀 과민했네.

0398

다시 한번 잘해 보고 싶을 때

한 번만 기회를 줘.

0399

단점을 고치겠다 약속할 때

내가 고칠게.

0400

잘못에 대해 반성할 때

반성할게.

망각방지 장치 1

하루만 지나도 학습한 내용의 50%가 머릿속에서 도망가 버린다는 사실! 과연 여러분은? 5분 안에 아래의 25개를 말해 보세요. 아침에 한 번 했다면, 저녁에 또 한 번!

○ ✕ 복습

01 너 나이를 헛먹었구나.   你的岁数   长了。 ☐ ☐ `0352`

02 나이가 몇 갠데 아직도 이래!   你   了还这样! ☐ ☐ `0354`

03 나잇값을 해야지.   做   年龄的事。 ☐ ☐ `0355`

04 소리 좀 낮춰.   声。 ☐ ☐ `0357`

05 두고 보자.   等着   吧。 ☐ ☐ `0358`

06 참는 데도 한계가 있어.   人的   是有限的。 ☐ ☐ `0360`

07 내 생각은 해 봤어?   你有没有   我想过? ☐ ☐ `0361`

08 내 입장도 생각해 줘.   请你站在我的   上想想。 ☐ ☐ `0363`

09 백번 양보해서 내 잘못이라 치자.   退   说，就算是我的错。 ☐ ☐ `0365`

10 제발 오해하지 마.   别误会。 ☐ ☐ `0366`

11 핑계 대지 마.   不要找   了。 ☐ ☐ `0371`

12 시치미 떼지 마.   别   了。 ☐ ☐ `0373`

13 이래라저래라 하지 마.   不要   我。 ☐ ☐ `0374`

정답 01 白 02 多大 03 符合 04 小点儿 05 瞧 06 忍耐 07 替 08 立场 09 一万步 10 千万 11 借口 12 装蒜 13 摆布

14 강요하지 마.　　别 [   ] 我。 ☐ ☐ `0375`

15 내 말 끊지 마.　　别 [   ] 我的话。 ☐ ☐ `0376`

16 사람 무시하지 마.　　不要 [   ] 人。 ☐ ☐ `0377`

17 마음에 두지 마.　　别 [   ] 心里去。 ☐ ☐ `0380`

18 이번 일은 다 내 탓이야.　　这事儿全 [   ] 我。 ☐ ☐ `0383`

19 내가 잘못했다니까?　　我错了还 [   ] 吗? ☐ ☐ `0384`

20 눈곱만큼의 잘못도 없어.　　[   ] 错误都没有。 ☐ ☐ `0389`

21 죄 없는 사람 끌어들이지 마.　　不要把无辜的人 [   ] 进来。 ☐ ☐ `0390`

22 그저 미안한 마음뿐이야.　　[   ] 对不起还是对不起。 ☐ ☐ `0393`

23 내가 좀 과민했네.　　我反应 [   ] 了。 ☐ ☐ `0397`

24 내가 고칠게.　　我会好好儿 [   ]。 ☐ ☐ `0399`

25 반성할게.　　我会好好儿 [   ]。 ☐ ☐ `0400`

맞은 개수: 25개 중 ＿＿＿＿ 개

당신은 그동안 ＿＿＿＿%를 잊어버렸습니다.
틀린 문장들은 다시 한번 보고 넘어가세요.

정답 14 逼　15 打断　16 瞧不起　17 往　18 怪　19 不行　20 半毛钱　21 拉扯　22 除了　23 过激　24 改　25 反省

031 친구와 다툰 후 약속을 잡으려 할 때　　　　🎧 huihua 031.mp3

A　那个……
　　Nàge……

B　할 말 있음 해 봐. 0316

A　아직도 나한테 화났어? 0302 我想请你吃好吃的。
　　　　　　　　　　　　　　　Wǒ xiǎng qǐng nǐ chī hǎochī de.

B　我生什么气呀。不好意思，我很忙。
　　Wǒ shēng shénme qì ya. Bùhǎoyìsi, wǒ hěn máng.

032 상대방이 말도 안 되는 소리를 할 때　　　　🎧 huihua 032.mp3

A　你不能这样对我。
　　Nǐ bù néng zhèyàng duì wǒ.

B　네가 뭔데? 0309

A　你不是说过爱我吗?
　　Nǐ bú shì shuōguo ài wǒ ma?

B　무슨 헛소리를 하는 거야? 0340

223

A 저기….

B **有什么话你就说吧。** 0316
Yǒu shénme huà nǐ jiù shuō ba.

A **你还生我的气吗?** 0302 너 맛있는 거 사 주고 싶은데.
Nǐ hái shēng wǒ de qì ma?

B 화는 무슨. 미안한데, 나 바빠.

A 네가 나한테 이러면 안 되지.

B **你以为你是谁?** 0309
Nǐ yǐwéi nǐ shì shéi?

A 나 사랑한다고 했잖아?

B **你在胡说八道什么啊?** 0340
Nǐ zài húshuōbādào shénme a?

🎧 huihua 033.mp3

A 你怎么能把我的女朋友抢走?
Nǐ zěnme néng bǎ wǒ de nǚ péngyou qiǎngzǒu?

B ······

A 왜 말이 없어?0318 太让人失望了。
Tài ràng rén shīwàng le.

B 对不起，이번 일은 다 내 탓이야.0383
Duìbuqǐ,

• 抢走 qiǎngzǒu 빼앗아 가다, 강탈하여 도망가다

🎧 huihua 034.mp3

A 喂，你在哪儿?
Wéi, nǐ zài nǎr?

B 네가 무슨 상관이야?0306

A 想你啊。
Xiǎng nǐ a.

B 내가 몇 번을 말했니!0324 我已经有了男朋友!
Wǒ yǐjīng yǒule nán péngyou!

• 喂 wéi (전화상에서) 여보세요

A 네가 어떻게 내 여자 친구를 빼앗아 갈 수 있어?

B ….

A **怎么不说话?** 0318 정말 실망이다.
Zěnme bù shuōhuà?

B 미안해, **这事儿全怪我。** 0383
zhè shìr quán guài wǒ.

A 여보세요, 어디야?

B **管你什么事?** 0306
Guǎn nǐ shénme shì?

A 보고 싶어서.

B **我跟你说过多少次了!** 0324 나 남자 친구 있다니까!
Wǒ gēn nǐ shuōguo duōshao cì le!

A 最近我觉得你总是躲着我。
　　Zuìjìn wǒ juéde nǐ zǒngshì duǒzhe wǒ.

B 내가 언제? 0334

A 나한테 뭐 숨기는 거 있지? 0327

B 没有啊，不要误会。
　　Méiyǒu a, búyào wùhuì.

- -

• 躲 duǒ 피하다, 숨다

A 你喜欢上小丽了? 너 어떻게 이럴 수 있어? 0331
　　Nǐ xǐhuanshàng Xiǎo Lì le?

B 你在说什么?
　　Nǐ zài shuō shénme?

A 내가 바보인 줄 알아? 0335

B 我不知道你在说什么。
　　Wǒ bù zhīdào nǐ zài shuō shénme.

A 요즘 너 늘 나를 피하는 것 같다?

B **我哪有?** 0334
Wǒ nǎ yǒu?

A **是不是有事瞒着我?** 0327
Shì bu shì yǒu shì mánzhe wǒ?

B 아냐, 오해하지 마.

A 너 샤오리가 좋아진 거야? **你怎么能这么做?** 0331
Nǐ zěnme néng zhème zuò?

B 무슨 소릴 하는 거야?

A **你以为我傻吗?** 0335
Nǐ yǐwéi wǒ shǎ ma?

B 난 네가 무슨 소릴 하는 건지 모르겠다.

A   妈，我不想去学校，上课好无聊。
       Mā, wǒ bù xiǎng qù xuéxiào, shàngkè hǎo wúliáo.

B   네가 애도 아니고, 0351 赶紧穿衣服。
                                   gǎnjǐn chuān yīfu.

A   我真的不想去，真的不想去!
       Wǒ zhēnde bù xiǎng qù, zhēnde bù xiǎng qù!

B   나이가 몇 갠데 아직도 이러니! 0354

• **上课** shàngkè 수업을 듣다, 강의를 듣다   **无聊** wúliáo 따분하다, 지루하다   **赶紧** gǎnjǐn 얼른, 어서

A   不要生气，不是你想的那样。
       Búyào shēngqì, bú shì nǐ xiǎng de nàyàng.

B   앞으로 다시는 그러지 마. 0379

A   好，下不为例! 再给我一次机会吧。对不起。
       Hǎo, xiàbùwéilì!   Zài gěi wǒ yí cì jīhuì ba.   Duìbuqǐ.

B   好，네 사과 받아들일게. 0392
       Hǎo,

• **下不为例** xiàbùwéilì 이번이 마지막이다, 이번만 용서해 주다

A 엄마, 나 학교 가기 싫어, 수업 재미없단 말이야.

B **你又不是小孩儿,** 0351 얼른 옷 입어.
Nǐ yòu bú shì xiǎoháir,

A 나 진짜 가기 싫어, 진짜 가기 싫다고!

B **你多大了还这样!** 0354
Nǐ duōdàle hái zhèyàng!

A 화내지 마, 네가 생각하는 그런 거 아냐.

B **以后别再这样做了。** 0379
Yǐhòu bié zài zhèyàng zuò le.

A 응, 이번이 마지막이야! 한 번만 기회를 줘. 미안해.

B 좋아, **我接受你的道歉。** 0392
wǒ jiēshòu nǐ de dàoqiàn.

A　小丽，我已经听说了。
　　Xiǎo Lì, wǒ yǐjīng tīngshuō le.

B　네가 오해한 거 같아.⁰³⁶⁹

A　承认事实吧。你也喜欢上我的男朋友了，对吧?
　　Chéngrèn shìshí ba. Nǐ yě xǐhuanshàng wǒ de nán péngyou le, duì ba?

B　제발 오해하지 마,⁰³⁶⁶ 不是你想的那样。
　　　　　　　　　　　　　　 bú shì nǐ xiǎng de nàyàng.

A　今天真的不好意思，반성할게.⁰⁴⁰⁰
　　Jīntiān zhēnde bùhǎoyìsi,

B　你没有错，是我不好。
　　Nǐ méiyǒu cuò, shì wǒ bù hǎo.

A　是我太过分了，한 번만 기회를 줘.⁰³⁹⁸
　　Shì wǒ tài guòfèn le,

B　好的，相信你。
　　Hǎode, xiāngxìn nǐ.

● 相信 xiāngxìn 믿다, 신임하다

A   샤오리, 나 이미 들었어.

B   **我想你误会了。** 0369
Wǒ xiǎng nǐ wùhuì le.

A   사실을 인정해. 너도 내 남자 친구가 좋아진 거, 맞지?

B   **千万别误会,** 0366 네가 생각하는 그런 거 아냐.
Qiānwàn bié wùhuì,

A   오늘 정말 미안해, **我会好好儿反省。** 0400
wǒ huì hǎohāor fǎnxǐng.

B   넌 잘못 없어, 내가 나빴지.

A   내가 너무 심했어, **再给我一次机会吧。** 0398
zài gěi wǒ yí cì jīhuì ba.

B   알았어, 믿을게.

네이티브가
외모와 관련해
자주 쓰는 표현 100

Part 5 전체 듣기

'외모지상주의'라는 말이 나올 정도로
외모에 대한 관심이 엄청난 요즘!
중국도 다르지 않습니다.
중국인들이 외모와 관련해
자주 쓰는 표현들을 모아 봤습니다.

🎧 0401~0405.mp3

0401

我一定要变漂亮。

Wǒ yídìng yào biàn piàoliang.

0402

每天美一点!

Měitiān měi yìdiǎn!

0403

每天都要打扮得美美的。

Měitiān dōu yào dǎban de měiměi de.

打扮 dǎban 단장하다, 꾸미다

0404

我要成为女神!

Wǒ yào chéngwéi nǚshén!

女神 nǚshén 여신

0405

没有丑女人，只有懒女人。

Méiyǒu chǒu nǚrén, zhǐyǒu lǎn nǚrén.

丑 chǒu 추하다, 못생기다 | 懒 lǎn 게으르다

0401

내 고백을 거절한 당신, 후회할 거야

반드시 예뻐지고 말 거야.

0402

욕심내지 말고 매일 조금씩

매일 조금씩 예뻐지기!

0403

신경 써서 가꾸기만 해도 여잔 달라집니다

매일 예쁘게 꾸며야지.

0404

남자라면 '男神(남신)'

여신이 되겠어!

0405

부지런할수록 예뻐지는 게 여자

못생긴 여자는 없다,
게으른 여자만 있을 뿐.

236

0406

瓜子脸
guāzǐliǎn

瓜子 guāzǐ 파즈(해바라기씨 등에 조미료를 넣어 볶은 간식)

0407

包子脸
bāoziliǎn

包子 bāozi 소가 든 찐빵

0408

国字脸
guózìliǎn

0409

圆脸
yuánliǎn

0410

鹅蛋脸
édànliǎn

鹅蛋 édàn 거위알

0406

해바라기씨처럼 생긴, 중국의 미인형

V라인 얼굴

0407

두 볼이 통통

만두 얼굴

0408

'나라 국(國) 자'처럼 생겼다고 붙은 이름

네모난 얼굴

0409

중국에서 두루두루 귀여움 받는다는

둥근 얼굴

0410

어떤 헤어스타일도 소화하는

계란형 얼굴

0411

想要身材好吗?

Xiǎng yào shēncái hǎo ma?

身材 shēncái 몸매, 체격

0412

身材比例真好。

Shēncái bǐlì zhēn hǎo.

比例 bǐlì 비율, 비례

0413

腿瘦穿什么都好看。

Tuǐ shòu chuān shénme dōu hǎokàn.

腿 tuǐ 다리 ｜ 瘦 shòu 마르다, 날씬하다

0414

看这手臂胖的!

Kàn zhè shǒubì pàng de!

手臂 shǒubì 팔뚝 ｜ 胖 pàng 뚱뚱하다

0415

天天做运动，为什么还不瘦!

Tiāntiān zuò yùndòng, wèishénme hái bú shòu!

0411

☐ ☐ ☐

몸짱이 되고 싶어!

날씬한 몸매를 원해?

0412

☐ ☐ ☐

키·몸무게보다 중요한 비율

몸매 비율 정말 좋다.

0413

☐ ☐ ☐

잘빠진 다리 is 뭔들

날씬한 다리는 뭘 입어도 예뻐.

0414

☐ ☐ ☐

'팔뚝' 대신 다른 단어로 얼마든지 응용 가능

이 팔뚝 살찐 것 좀 봐!

0415

☐ ☐ ☐

어젯밤에 먹은 치킨이 웬수

매일같이 운동하는데, 왜 안 빠지니!

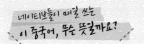

🎧 0416~0420.mp3

0416

从明天开始减肥。

Cóng míngtiān kāishǐ jiǎnféi.

减肥 jiǎnféi 살을 빼다, 다이어트

0417

真的该减肥了。

Zhēnde gāi jiǎnféi le.

0418

只要瘦十斤就好了。

Zhǐyào shòu shí jīn jiù hǎo le.

只要 zhǐyào ~하기만 하면

0419

减肥励志图

jiǎnféi lìzhìtú

励志 lìzhì 스스로 분발하다, 격려하다

0420

我要绝食，谁也不要拦我。

Wǒ yào juéshí, shéi yě búyào lán wǒ.

绝食 juéshí 단식하다 | 拦 lán 가로막다, 저지하다

241

0416

일단 오늘은 치느님을 영접해야 하니까

다이어트는 내일부터.

0417

거울을 보며 한숨이 푹푹 날 때

진짜 다이어트 해야겠다.

0418

중국은 몸무게를 말할 때 500g을 의미하는 '斤'을 주로 씁니다

5킬로만 빠졌으면 좋겠다.

0419

자극을 주고 동기 부여를 해 주는 사진을 '励志图'라고 하지요

다이어트 자극 사진

0420

진짜 치열한 다이어트에 돌입할 때

나 단식한다, 아무도 말리지 마.

🎧 0421~0425.mp3

0421

长卷发和长直发

cháng juǎnfà hé cháng zhífà

卷发 juǎnfà 파마머리 | 直发 zhífà 생머리

0422

短发是大势!

Duǎnfà shì dàshì!

短发 duǎnfà 단발머리 | 大势 dàshì 대세, 추세

0423

超爱齐肩短发。

Chāo ài qíjiān duǎnfà.

齐肩 qíjiān (어깨와) 대등하다

0424

夏天扎个丸子头!

Xiàtiān zā ge wánzitóu!

扎 zā 묶다, 매다 | 丸子 wánzi 완자

0425

丸子头好难扎。

Wánzitóu hǎo nán zā.

难 nán 어렵다, 힘들다

243

0421

청순 열매 먹은 헤어스타일

롱 웨이브와 긴 생머리

0422

너도나도 단발

단발이 대세지!

0423

어중간하지만 분위기 있는 긴 단발

어깨에 닿는 단발 완전 좋아.

0424

둥그런 완자와 닮았다 하여 중국에선 '완자머리'라고 표현

여름엔 똥머리지!

0425

꾸민 듯 안 꾸민 듯 내추럴한 똥머리는 미용실에서

똥머리 묶기 너무 어려워.

🎧 0426~0430.mp3

0426

我要长发及腰。

Wǒ yào chángfà jí yāo.

及 jí 도달하다, 이르다 | 腰 yāo 허리

0427

好想试试这个发型。

Hǎo xiǎng shìshi zhège fàxíng.

发型 fàxíng 헤어스타일

0428

这就是最新发型。

Zhè jiùshì zuìxīn fàxíng.

0429

换了发型好看多了。

Huànle fàxíng hǎokàn duō le.

0430

这个发型好减龄。

Zhège fàxíng hǎo jiǎn líng.

减 jiǎn 낮아지다, 줄다 | 龄 líng 나이, 연령

0426

청순한 긴 생머리를 볼 때마다 결심

허리까지 머리를 기르겠어.

0427

마음에 드는 헤어스타일을 한 스타를 보았을 때

이 헤어스타일 해 보고 싶다.

0428

한마디로 요즘 유행하는 스타일

이게 바로 최신 헤어스타일.

0429

막 머리하고 온 친구에게 건네면 좋은 말

헤어스타일 바꾸니까 훨씬 낫네.

0430

머리도 동안 스타일이 대세

이 헤어스타일 진짜 어려 보인다.

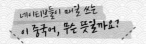
0431

这个发型很适合你。

Zhège fàxíng hěn shìhé nǐ.

适合 shìhé 적합하다, 어울리다

0432

换了个发型，一个人也没看出来。

Huànle ge fàxíng, yí ge rén yě méi kànchūlai.

0433

我在纠结要不要剪短发。

Wǒ zài jiūjié yào bu yào jiǎn duǎnfà.

纠结 jiūjié 뒤엉키다, 고민스럽다 | 剪 jiǎn 자르다

0434

头发长得太慢了。

Tóufa zhǎng de tài màn le.

头发 tóufa 머리카락

0435

这个发型是吹出来的。

Zhège fàxíng shì chuīchūlai de.

吹 chuī 바람을 불다

247

0431 ☐☐☐

유행보다 자기에게 어울리는 게 최고

이 헤어스타일이 너한테 잘 어울려.

0432 ☐☐☐

미용실 갔다 왔는데 아무도 모르면 왠지 서글픔

헤어스타일 바꿨는데 아무도 모름.

0433 ☐☐☐

일명 단발병

단발로 자를까 말까 고민 중.

0434 ☐☐☐

야한 생각 많이 하면 잘 자란다던데

머리카락이 너무 느리게 자라.

0435 ☐☐☐

일명 '손이고(손님, 이건 고데기예요~)'

이건 드라이예요.

0436

□ □ □

要不要剪刘海?

Yào bu yào jiǎn liúhǎi?

刘海 liúhǎi 앞머리

0437

□ □ □

齐刘海还是斜刘海?

Qí liúhǎi háishi xié liúhǎi?

齐 qí 가지런하다, 모으다 | 还是 háishi 또는, 아니면 | 斜 xié 기울이다, 비스듬하다

0438

□ □ □

空气刘海怎么剪?

Kōngqì liúhǎi zěnme jiǎn?

空气 kōngqi 공기

0439

□ □ □

我又剪刘海了。

Wǒ yòu jiǎn liúhǎi le.

0440

□ □ □

刘海到了尴尬期。

Liúhǎi dàole gāngàqī.

尴尬 gāngà 부자연스럽다, 어색하다 | 期 qī 시기, 기간

0436

여자들의 평생 고민

앞머리 자를까, 말까?

0437

뱅헤어 혹은 여신 머리

앞머리 앞으로 내릴까,
옆으로 넘길까?

0438

가벼운 앞머리라 하여 '공기 앞머리'로 표현

시스루뱅 어떻게 자르지?

0439

결국 거지존을 못 넘겼을 때

나 앞머리 또 잘랐어.

0440

어중간한 앞머리를 '어색한 앞머리(尴尬刘海)'로 표현

앞머리 거지존 입성.

0441

素颜女神

sùyán nǚshén

素颜 sùyán 민낯, 쌩얼

0442

素颜依然美。

Sùyán yīrán měi.

依然 yīrán 여전히, 전과 다름없다

0443

素颜很难看。

Sùyán hěn nánkàn.

难看 nánkàn 못생기다, 흉하다

0444

不敢素颜出门。

Bù gǎn sùyán chūmén.

出门 chūmén 외출하다, 집을 나서다

0445

我想成为素颜美女。

Wǒ xiǎng chéngwéi sùyán měinǚ.

중국은 '본래의 얼굴(素颜)'로 민낯을 표현

쌩얼(민낯) 여신

클렌징 후 내 모습이 '와우!'일 때

쌩얼도 여전히 예뻐.

클렌징 후 내 모습이 '뜨악!'일 때

쌩얼 못 봐 주겠다.

최소한 모자라도 써야 외출 가능

차마 쌩얼로는 외출 못함.

지긋지긋한 메이크업

쌩얼 미녀가 되고파.

🎧 0446~0450.mp3

0446

完全是素颜呢!

Wánquán shì sùyán ne!

0447

伪装素颜。

Wěizhuāng sùyán.

伪装 wěizhuāng 위장하다, 가장하다

0448

我今天什么都没抹。

Wǒ jīntiān shénme dōu méi mǒ.

抹 mǒ 바르다, 칠하다

0449

连BB霜都没抹就出门了。

Lián BBshuāng dōu méi mǒ jiù chūmén le.

0450

化妆前跟化妆后的差别真大。

Huàzhuāng qián gēn huàzhuāng hòu de chābié zhēn dà.

化妆 huàzhuāng 화장하다 | 差别 chābié 차이, 격차

253

0446

비비크림조차 안 발랐을 때

완전 쌩얼이야!

0447

누가 봐도 풀 메이크업이지만

쌩얼인 척.

0448

완전 민낯으로 외출했을 때

나 오늘 아무것도 안 발랐어.

0449

진짜 쌩얼이라는 걸 강조하고 싶을 때

비비크림도 안 바르고 나왔어.

0450

화장이라기 보단 변장에 가까울 때

화장 전후, 차이 참 크다.

망각방지
장 치 **1**

하루만 지나도 학습한 내용의 50%가 머릿속에서 도망가 버린다는 사실! 과연 여러분은? 5분 안에 아래의 25개를 말해 보세요. 아침에 한 번 했다면, 저녁에 또 한 번!

○ ✕ 복습

01 매일 예쁘게 꾸며야지.　　每天都要 _____ 得美美的。 ☐ ☐ `0403`

02 여신이 되겠어!　　我要成为 _____ ！ ☐ ☐ `0404`

03 V라인 얼굴　　_____ 脸 ☐ ☐ `0406`

04 네모난 얼굴　　_____ 脸 ☐ ☐ `0408`

05 몸매 비율 정말 좋다.　　身材 _____ 真好。 ☐ ☐ `0412`

06 이 팔뚝 살찐 것 좀 봐!　　看这 _____ 胖的！ ☐ ☐ `0414`

07 매일같이 운동하는데, 왜 안 빠지니!　　天天做运动，为什么还不 _____ ！ ☐ ☐ `0415`

08 다이어트는 내일부터.　　从明天开始 _____ 。 ☐ ☐ `0416`

09 5킬로만 빠졌으면 좋겠다.　　只要瘦 _____ 斤就好了。 ☐ ☐ `0418`

10 나 단식한다, 아무도 말리지 마.　　我要 _____ ，谁也不要拦我。 ☐ ☐ `0420`

11 단발이 대세지!　　短发是 _____ ！ ☐ ☐ `0422`

12 여름엔 똥머리지!　　夏天扎个 _____ ！ ☐ ☐ `0424`

13 이 헤어스타일 해 보고 싶다.　　好想试试这个 _____ 。 ☐ ☐ `0427`

정답 01 打扮 02 女神 03 瓜子 04 国字 05 比例 06 手臂 07 瘦 08 减肥 09 十 10 绝食 11 大势
12 丸子头 13 发型

255

14 이 헤어스타일 진짜 어려 보인다.	这个发型好　　　　　。	☐ ☐	0430
15 이 헤어스타일이 너한테 잘 어울려.	这个发型很　　　　你。	☐ ☐	0431
16 단발로 자를까 말까 고민 중.	我在　　　　要不要剪短发。	☐ ☐	0433
17 이건 드라이예요.	这个发型是　　　　出来的。	☐ ☐	0435
18 앞머리 자를까, 말까?	要不要剪　　　　？	☐ ☐	0436
19 시스루뱅 어떻게 자르지?	刘海怎么剪？	☐ ☐	0438
20 앞머리 거지존 입성.	刘海到了　　　　期。	☐ ☐	0440
21 쌩얼도 여전히 예뻐.	依然美。	☐ ☐	0442
22 쌩얼인 척.	素颜。	☐ ☐	0447
23 나 오늘 아무것도 안 발랐어.	我今天什么都没　　　　。	☐ ☐	0448
24 비비크림도 안 바르고 나왔어.	BB霜都没抹就出门了。	☐ ☐	0449
25 화장 전후, 차이 참 크다.	化妆前跟化妆后的　　　真大。	☐ ☐	0450

맞은 개수: 25개 중 _____ 개

당신은 그동안 _____%를 잊어버렸습니다.
틀린 문장들은 다시 한번 보고 넘어가세요.

정답 **14** 减龄 **15** 适合 **16** 纠结 **17** 吹 **18** 刘海 **19** 空气 **20** 尴尬 **21** 素颜 **22** 伪装 **23** 抹 **24** 连
25 差别

🎧 0451~0455.mp3

0451

我是油性皮肤。

Wǒ shì yóuxìng pífū.

油性 yóuxìng 유성, 지성

0452

我是干性皮肤。

Wǒ shì gānxìng pífū.

干性 gānxìng 건성

0453

我是混合性皮肤。

Wǒ shì hùnhéxìng pífū.

混合性 hùnhéxìng 혼합형

0454

我是敏感性皮肤。

Wǒ shì mǐngǎnxìng pífū.

敏感性 mǐngǎnxìng 민감성

0455

皮肤太干了。

Pífū tài gān le.

0451

중국은 '유성 피부'로 표현

난 지성 피부야.

0452

중국은 '간성 피부'로 표현

난 건성 피부야.

0453

중국은 '혼합성 피부'로 표현

난 복합성 피부야.

0454

작은 자극에도 쉽게 상하는 피부

난 민감성 피부야.

0455

논바닥 갈라지는 줄

피부가 너무 건조해.

🎧 0456~0460.mp3

0456

毛孔粗大了。

Máokǒng cūdà le.

毛孔 máokǒng 모공 | 粗大 cūdà 큼직하다, 굵다

0457

黑眼圈非常严重。

Hēiyǎnquān fēicháng yánzhòng.

黑眼圈 hēiyǎnquān 다크서클

0458

遮一下黑眼圈。

Zhē yíxià hēiyǎnquān.

遮 zhē 가리다, 감추다

0459

黑头怎么去?

Hēitóu zěnme qù?

黑头 hēitóu 블랙헤드 | 去 qù 제거하다, 없애다

0460

想跟痘痘说再见。

Xiǎng gēn dòudòu shuō zàijiàn.

0456

피부 고민 1위라는 모공

모공이 커졌어.

0457

중국은 '검은 눈가(黑眼圈)'로 표현

다크서클 완전 심해.

0458

눈 밑 그늘에 불 켜기

다크서클 좀 가리자.

0459

모두 녹여 버리고파

블랙헤드 어떻게 없애?

0460

지긋지긋한 피부 고민

여드름이랑 안녕 하고 싶다.

🎧 0461~0465.mp3

0461

卸妆真烦。
Xièzhuāng zhēn fán.

卸妆 xièzhuāng 화장을 지우다

0462

化妆重要，卸妆更重要。
Huàzhuāng zhòngyào, xièzhuāng gèng zhòngyào.

0463

我要用黄瓜敷脸。
Wǒ yào yòng huángguā fū liǎn.

黄瓜 huángguā 오이 ㅣ 敷 fū 깔다, 펴다

0464

为干燥的皮肤补充水分！
Wèi gānzào de pífū bǔchōng shuǐfèn!

干燥 gānzào 건조하다 ㅣ 补充 bǔchōng 보충하다 ㅣ 水分 shuǐfèn 수분

0465

要记得涂防晒霜。
Yào jìde tú fángshàishuāng.

涂 tú 바르다, 칠하다 ㅣ 防晒霜 fángshàishuāng 선크림, 자외선 차단제

261

0461

클렌징을 '卸妆'으로 표현!

화장 지우기 정말 귀찮아.

0462

화장은 하는 것보다 지우는 게 더 중요합니다

화장도 중요하지만,
지우는 건 더 중요해.

0463

먹지 마세요, 피부에 양보하세요

오이 마사지해야지.

0464

촉촉한 꿀피부 만들기

건조한 피부에 수분 보충하기!

0465

자외선은 피부 노화의 주요 원인

선크림 바르는 거 잊지 마.

🎧 0466~0470.mp3

☐ ☐ ☐

0466

真是童颜啊!

Zhēnshi tóngyán a!

童颜 tóngyán 동안, 어린아이의 얼굴

☐ ☐ ☐

0467

有没有减龄呢?

Yǒu méiyǒu jiǎn líng ne?

☐ ☐ ☐

0468

减龄十岁啊!

Jiǎn líng shí suì a!

☐ ☐ ☐

0469

这个颜色显老。

Zhège yánsè xiǎnlǎo.

显老 xiǎnlǎo 늙어 보이다

☐ ☐ ☐

0470

保持童颜的秘诀是?

Bǎochí tóngyán de mìjué shì?

保持 bǎochí 유지하다, 지키다 | 秘诀 mìjué 비결, 노하우

263

0466

□ □ □

중국도 '동안(童颜)' 그대로 표현

진짜 동안이다!

0467

□ □ □

단발에 뱅헤어를 했을 때

어려 보이지 않아?

0468

□ □ □

어른들께 해 드리면 좋을 멘트

열 살은 젊어 보여요!

0469

□ □ □

'나이 들어 보이다'는 '늙어 보이다(显老)'로 표현

이 컬러는 나이 들어 보여.

0470

□ □ □

누구나 궁금해 하는 문제

동안 유지의 비결은?

0471 ☐☐☐

简直太美了!
Jiǎnzhí tài měi le!

简直 jiǎnzhí 그야말로, 완전히

0472 ☐☐☐

真是越长大越美。
Zhēnshi yuè zhǎngdà yuè měi.

0473 ☐☐☐

美女是睡出来的。
Měinǚ shì shuìchūlai de.

0474 ☐☐☐

气质女神
qìzhì nǚshén

气质 qìzhì 기질, 기품

0475 ☐☐☐

校园女神
xiàoyuán nǚshén

校园 xiàoyuán 교정, 캠퍼스

265

0471 ☐ ☐ ☐

아름답단 말로는 모자랄 정도

완전 아름다워!

0472 ☐ ☐ ☐

여신이 될 조짐이 보일 때

클수록 점점 예뻐지네.

0473 ☐ ☐ ☐

잠이 보약이다

미인은 잠꾸러기.

0474 ☐ ☐ ☐

대표적으로 '탕웨이(汤唯)'

분위기 여신

0475 ☐ ☐ ☐

'캠퍼스 퀸카(校花)'에서 여신으로

캠퍼스 여신

🔊 0476~0480.mp3

0476

要不要做双眼皮?

Yào bu yào zuò shuāngyǎnpí?

双眼皮 shuāngyǎnpí 쌍꺼풀

0477

我戴了假睫毛。

Wǒ dàile jiǎjiémáo.

假睫毛 jiǎjiémáo 인조 속눈썹

0478

眉毛决定你给人的第一印象。

Méimao juédìng nǐ gěi rén de dìyīyìnxiàng.

眉毛 méimao 눈썹 | 第一印象 dìyīyìnxiàng 첫인상

0479

啊，睫毛膏晕染了。

Ā, jiémáogāo yùnrǎn le.

睫毛膏 jiémáogāo 마스카라 | 晕染 yùnrǎn 번지다

0480

眼线晕成熊猫眼了。

Yǎnxiàn yùnchéng xióngmāoyǎn le.

眼线 yǎnxiàn 아이라인 | 熊猫 xióngmāo 판다

267

0476

눈 화장을 하다 불현듯

쌍꺼풀 할까?

0477

인형 눈 만들기

나 가짜 속눈썹 붙였어.

0478

얼굴형에 맞는 눈썹이 따로 있대요

눈썹이 첫인상을 좌우해.

0479

워터프루프가 절실해

아, 마스카라 번졌다.

0480

중국에서도 '팬더눈(熊猫眼)'으로 표현

아이라인 번져서 팬더눈 됨.

0481

时尚的完成靠脸。

Shíshàng de wánchéng kàoliǎn.

完成 wánchéng 완성하다 | 靠脸 kàoliǎn 얼굴을 판다, 얼굴에 의지하다

0482

同款不同脸。

Tóng kuǎn bù tóng liǎn.

款 kuǎn 스타일, 종류

0483

衣服是人的第二张脸。

Yīfu shì rén de dì'èr zhāng liǎn.

0484

怎么搭配好看呢?

Zěnme dāpèi hǎokàn ne?

搭配 dāpèi 조합하다, 안배하다

0485

哪一款是你的菜?

Nǎ yì kuǎn shì nǐ de cài?

'菜'는 '요리, 음식'이라는 뜻 외에 젊은이들 사이에서 '좋아하는 스타일'이라는 의미로도 쓰인다.

0481

김태희 옷을 입어도 김태희는 될 수 없다

패션의 완성은 얼굴.

0482

중국은 '같은 스타일, 다른 얼굴'로 표현

같은 의상, 다른 느낌.

0483

의상은 인상을 좌우하는 요소

옷은 두 번째 얼굴.

0484

매일 아침, 옷장 앞에서 하는 고민

어떻게 코디해야 예쁠까?

0485

의상·헤어 등에 모두 쓸 수 있는 말

어떤 게 네 스타일이야?

🔊 0486~0490.mp3

0486

到了穿衬衫的季节。

Dàole chuān chènshān de jìjié.

衬衫 chènshān 셔츠, 와이셔츠 | 季节 jìjié 계절

0487

一年四季都很好搭。

Yì nián sìjì dōu hěn hǎo dā.

四季 sìjì 사계절 | 搭 dā 걸치다, 받치다

0488

这个颜色太显眼了。

Zhège yánsè tài xiǎnyǎn le.

显眼 xiǎnyǎn 눈에 띄다, 두드러지다

0489

高跟鞋是女人的自尊心。

Gāogēnxié shì nǚrén de zìzūnxīn.

高跟鞋 gāogēnxié 하이힐 | 自尊心 zìzūnxīn 자존심

0490

我经常穿平底鞋。

Wǒ jīngcháng chuān píngdǐxié.

平底鞋 píngdǐxié 굽이 낮은 신발, 플랫 슈즈

271

0486

'셔츠(衬衫)'만 단어를 바꿔 다양하게 활용 가능

셔츠의 계절이 왔다.

0487

어디에나 받쳐 입기 좋은, 일명 기본템!

사계절 내내 받쳐 입기 좋아.

0488

너무 눈에 띄는 컬러일 때

이 컬러는 너무 튀어.

0489

'跟'은 구두 '굽'을 의미하기도 해요

하이힐은 여자의 자존심.

0490

'밑바닥이 평평한 신발(平底鞋)'로 플랫 슈즈를 표현

난 플랫 슈즈를 즐겨 신어.

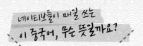

0491

效果好吗?

Xiàoguǒ hǎo ma?

效果 xiàoguǒ 효과

0492

防水效果好吗?

Fángshuǐ xiàoguǒ hǎo ma?

防水 fángshuǐ 방수

0493

美白效果非常好!

Měibái xiàoguǒ fēicháng hǎo!

美白 měibái 미백, 화이트닝

0494

据说喝牛奶有助于美白。

Jùshuō hē niúnǎi yǒuzhùyú měibái.

据说 jùshuō 들은 말에 의하면 | 有助于 yǒuzhùyú ~에 도움이 되다

0495

宋慧乔使用过的产品。

Sòng Huìqiáo shǐyòngguo de chǎnpǐn.

使用 shǐyòng 사용하다, 쓰다 | 产品 chǎnpǐn 제품, 상품

273

0491 □ □ □

화장품 살 때 하는 필수 질문

효과 있어?

0492 □ □ □

마스카라·아이라이너라면 필수

워터프루프 효과 있어?

0493 □ □ □

찹쌀떡 같은 피부를 원해

미백 효과 완전 좋아!

0494 □ □ □

믿거나 말거나

우유 마시면 미백에 좋대.

0495 □ □ □

왠지 송혜교가 될 것 같은 느낌

송혜교가 썼던 제품이야.

0496

气垫BB霜很火。

Qìdiàn BBshuāng hěn huǒ.

气垫 qìdiàn 에어쿠션 | 火 huǒ 인기 있다, 잘 팔리다

0497

持久度超级棒!

Chíjiǔdù chāojí bàng!

持久 chíjiǔ 오래 유지되다 | 超级 chāojí 뛰어난 | 棒 bàng 좋다, 강하다

0498

遮盖力很好。

Zhēgàilì hěn hǎo.

遮盖 zhēgài 덮다, 가리다

0499

性价比超高。

Xìngjiàbǐ chāo gāo.

性价比 xìngjiàbǐ 가격 대비 성능

0500

强烈推荐这款面膜!

Qiángliè tuījiàn zhè kuǎn miànmó!

强烈 qiángliè 강렬하다 | 推荐 tuījiàn 추천하다 | 面膜 miànmó 마사지 팩

275

0496

중국에서는 에어쿠션을 '气垫'으로 표현

에어쿠션 팩트가 완전 인기야.

0497

시간이 흘러도 무너져 내리지 않을 만큼

지속력 완전 최고!

0498

점까지 전부 없애 줄 기세

커버력 좋네.

0499

명품 못지않은 효과를 자랑하는 저렴이

가성비 대박 좋음.

0500

강추하고 싶은 인생템 표현할 때

이 마스크 팩 강력 추천!

**망각방지
장   치 1**

하루만 지나도 학습한 내용의 50%가 머릿속에서 도망가 버린다는 사실! 과연 여러분은? 5분 안에 아래의 25개를 말해 보세요, 아침에 한 번 했다면, 저녁에 또 한 번!

○ ✕ 복습

01 난 복합성 피부야.　　我是 _____ 皮肤。☐ ☐ `0453`

02 난 민감성 피부야.　　我是 _____ 皮肤。☐ ☐ `0454`

03 모공이 커졌어.　　_____ 粗大了。☐ ☐ `0456`

04 다크서클 완전 심해.　　_____ 非常严重。☐ ☐ `0457`

05 블랙헤드 어떻게 없애?　　_____ 怎么去?☐ ☐ `0459`

06 화장도 중요하지만,
지우는 건 더 중요해.　　化妆重要, _____ 更重要。☐ ☐ `0462`

07 오이 마사지해야지.　　我要用黄瓜 _____ 脸。☐ ☐ `0463`

08 선크림 바르는 거 잊지
마.　　要记得涂 _____ 。☐ ☐ `0465`

09 진짜 동안이다!　　真是 _____ 啊!☐ ☐ `0466`

10 열 살은 젊어 보여요!　　_____ 十岁啊!☐ ☐ `0468`

11 동안 유지의 비결은?　　保持童颜的 _____ 是?☐ ☐ `0470`

12 미인은 잠꾸러기.　　美女是 _____ 出来的。☐ ☐ `0473`

13 캠퍼스 여신　　_____ 女神 ☐ ☐ `0475`

정답 01 混合性　02 敏感性　03 毛孔　04 黑眼圈　05 黑头　06 卸妆　07 敷　08 防晒霜　09 童颜
10 减龄　11 秘诀　12 睡　13 校园

14 쌍꺼풀 할까?   要不要做   。 ☐ ☐ `0476`

15 나 가짜 속눈썹 붙였어.   我戴了假   。 ☐ ☐ `0477`

16 아, 마스카라 번졌다.   啊，睫毛膏   了。 ☐ ☐ `0479`

17 아이라인 번져서 팬더눈 됨.   晕成熊猫眼了。 ☐ ☐ `0480`

18 패션의 완성은 얼굴.   的完成靠脸。 ☐ ☐ `0481`

19 같은 의상, 다른 느낌.   同款不同   。 ☐ ☐ `0482`

20 어떻게 코디해야 예쁠까?   怎么   好看呢? ☐ ☐ `0484`

21 이 컬러는 너무 튀어.   这个颜色太   了。 ☐ ☐ `0488`

22 하이힐은 여자의 자존심.   是女人的自尊心。 ☐ ☐ `0489`

23 워터프루프 효과 있어?   效果好吗? ☐ ☐ `0492`

24 미백 효과 완전 좋아!   效果非常好! ☐ ☐ `0493`

25 송혜교가 썼던 제품이야.   宋慧乔   过的产品。 ☐ ☐ `0495`

맞은 개수: 25개 중   개

당신은 그동안 _____%를 잊어버렸습니다.
틀린 문장들은 다시 한번 보고 넘어가세요.

정답 **14** 双眼皮 **15** 睫毛 **16** 晕染 **17** 眼线 **18** 时尚 **19** 脸 **20** 搭配 **21** 显眼 **22** 高跟鞋 **23** 防水 **24** 美白 **25** 使用

망각방지 **2**
장 치

일주일이 지나면 학습한 내용의 70%를 잊어버립니다. 여러분은 몇 퍼센트나 기억
하고 있을까요? 대화문으로 확인해 보세요.

041 예쁜 여자를 보고 여신이 되겠다고 다짐할 때　　　🎧 huihua 041.mp3

A　哇，她好漂亮，真羨慕她。
　　Wā, tā hǎo piàoliang, zhēn xiànmù tā.

B　没有丑女人，게으른 여자만 있을 뿐!⁰⁴⁰⁵
　　Méiyǒu chǒu nǚrén,

A　有道理! 好，我也여신이 되겠어!⁰⁴⁰⁴
　　Yǒu dàolǐ!　Hǎo, wǒ yě

B　支持你!
　　Zhīchí nǐ!

• **支持** zhīchí 지지하다. 응원하다

042 다이어트 중일 때　　　🎧 huihua 042.mp3

A　我最近在减肥。단식할 거야.⁰⁴²⁰
　　Wǒ zuìjìn zài jiǎnféi.

B　减什么肥啊，你那么瘦。
　　Jiǎn shénme féi a, nǐ nàme shòu.

A　이 팔뚝 살찐 것 좀 봐!⁰⁴¹⁴ 太可怕了!
　　　　　　　　　　　　　 Tài kěpà le!

B　都说从明天开始减肥，你不知道?
　　Dōu shuō cóng míngtiān kāishǐ jiǎnféi, nǐ bù zhīdào?

• **可怕** kěpà 무섭다. 두렵다

041

A   와, 저 여자 예쁘다, 진짜 부럽다.

B   못생긴 여자는 없다, **只有懒女人!** 0405
                                  zhǐyǒu lǎn nǚrén!

A   일리 있네! 좋아, 나도 **要成为女神!** 0404
                                     yào chéngwéi nǚshén!

B   응원한다!

A   나 요즘 다이어트 해. **我要绝食。** 0420
                             Wǒ yào juéshí.

B   무슨 다이어트야, 너 그렇게 말라서는.

A   **看这手臂胖的!** 0414 무서워 죽겠다!
      Kàn zhè shǒubì pàng de!

B   다들 다이어트는 내일부터라잖아, 몰라?

A　这个裤子怎么样?
　　Zhège kùzi zěnmeyàng?

B　哇，你몸매 비율 정말 좋다. 0412
　　Wā, nǐ

A　我在问你这个裤子怎么样呢? 觉得适合我吗?
　　Wǒ zài wèn nǐ zhège kùzi zěnmeyàng ne? Juéde shìhé wǒ ma?

B　不用问了，날씬한 다리는 뭘 입어도 예뻐. 0413
　　Búyòng wèn le,

- -

• 裤子 kùzi 바지

A　我要剪头发。
　　Wǒ yào jiǎn tóufa.

B　为什么? 现在你的头发挺好看的。
　　Wèishénme? Xiànzài nǐ de tóufa tǐng hǎokàn de.

A　단발이 대세지! 0422 要不，你也剪头发?
　　　　　　　　　　　　　Yàobù, nǐ yě jiǎn tóufa?

B　我不要了，我머리카락이 너무 느리게 자라. 0434
　　Wǒ búyào le, wǒ

A 이 바지 어때?

B 와, 너 **身材比例真好。** 0412
shēncái bǐlì zhēn hǎo.

A 이 바지 어떠냐고 묻잖아, 나한테 어울려?

B 물을 거 없어, **腿瘦穿什么都好看。** 0413
tuǐ shòu chuān shénme dōu hǎokàn.

A 나 머리 자를 거야.

B 왜? 지금 네 머리 진짜 예쁜데.

A **短发是大势!** 0422 아님, 너도 자를래?
Duǎnfà shì dàshì!

B 난 됐어, 난 **头发长得太慢了。** 0434
tóufa zhǎng de tài màn le.

A 您要什么样的发型?
Nín yào shénmeyàng de fàxíng?

B 我把照片带来了, 이 헤어스타일 해 보고 싶어요. 0427
Wǒ bǎ zhàopiàn dàilái le,

A 可是, 이건 드라이예요. 0435
Kěshì,

B 哦……
Ò…

A 你身体不舒服吗? 看起来好累。
Nǐ shēntǐ bù shūfu ma? Kànqǐlai hǎo lèi.

B 没有, 我今天完전 쌩얼이야! 0446
Méiyǒu, wǒ jīntiān

A 连BB霜都没抹?
Lián BBshuāng dōu méi mǒ?

B 是啊, 나 오늘 아무것도 안 발랐어. 0448
Shì a,

A 어떤 헤어스타일로 해 드릴까요?

B 저 사진 가져왔는데, **好想试试这个发型。**[0427]
　　　　　　　　　　hǎo xiǎng shìshi zhège fàxíng.

A 근데, **这个发型是吹出来的。**[0435]
　　　　　zhège fàxíng shì chuīchūlai de.

B 아…

A 너 몸 안 좋아? 피곤해 보이네.

B 아냐, 나 오늘 **完全是素颜呢!**[0446]
　　　　　　　　wánquán shì sùyán ne!

A 비비크림도 안 발랐어?

B 응, **我今天什么都没抹。**[0448]
　　wǒ jīntiān shénme dōu méi mǒ.

🎧 huihua 047.mp3

A 你怎么了？今天다크서클 완전 심해. 0457

Nǐ zěnme le? Jīntiān

B 昨天晚上通宵了。

Zuótiān wǎnshang tōngxiāo le.

A 不要太累了。미인은 잠꾸러기, 0473 不知道吗？

Búyào tài lèi le. bù zhīdào ma?

B 我也想睡觉。

Wǒ yě xiǎng shuìjiào.

• **通宵** tōngxiāo 밤샘하다, 철야하다

🎧 huihua 048.mp3

A 你今年多大了？

Nǐ jīnnián duōdà le?

B 三十二岁了。

Sānshí'èr suì le.

A 진짜 동안이네요! 0466 我以为你二十五岁。

Wǒ yǐwéi nǐ èrshíwǔ suì.

B 谢谢夸奖。

Xièxie kuājiǎng.

• **夸奖** kuājiǎng 칭찬하다

A   너 왜 그래? 오늘 **黑眼圈非常严重。** 0457
                  hēiyǎnquān fēicháng yánzhòng.

B   어제 저녁에 밤샜어.

A   너무 무리하지 마. **美女是睡出来的,** 0473 몰라?
                  Měinǚ shì shuìchūlai de,

B   나도 자고 싶다.

A   올해 몇 살이에요?

B   서른둘이요.

A   **真是童颜啊!** 0466 저는 스물다섯인 줄 알았어요.
        Zhēnshi tóngyán a!

B   칭찬 고마워요.

A 你看这个，같은 의상, 다른 느낌. 0482
Nǐ kàn zhège,

B 这个衣服还是更适合宋慧乔。
Zhège yīfu háishi gèng shìhé Sòng Huìqiáo.

A 패션의 완성은 얼굴이잖아! 0481

B 我也这么想。
Wǒ yě zhème xiǎng.

A 气垫BB霜哪一个好呢?
Qìdiàn BBshuāng nǎ yí ge hǎo ne?

B 这个产品很不错，커버력 좋고, 0498 价格也不贵。
Zhège chǎnpǐn hěn búcuò,   jiàgé yě bú guì.

A 哇，真不错。
Wā, zhēn búcuò.

B 而且，송혜교가 썼던 제품이에요. 0495
Érqiě,

- -

• 而且 érqiě 그리고, 게다가

A 이거 봐, **同款不同脸。** 0482

　　　tóng kuǎn bù tóng liǎn.

B 이 옷은 역시 송혜교한테 더 어울린다.

A **时尚的完成靠脸!** 0481

　　　Shíshàng de wánchéng kàoliǎn!

B 나도 그렇게 생각해.

A 에어쿠션 팩트, 어떤 게 좋아요?

B 이 제품 괜찮아요, **遮盖力很好,** 0498 가격도 안 비싸고요.

　　　　　　　　zhēgàilì hěn hǎo,

A 와, 진짜 괜찮네요.

B 그리고, **宋慧乔使用过的产品。** 0495

　　　Sòng Huìqiáo shǐyòngguo de chǎnpǐn.

일상 생활에 자주 쓰는 단어만 모았다!

중국어 필수단어 무작정 따라하기

1,800단어만 알면 원하는 문장을 다 만들 수 있다!

'엄마, 아빠' '할머니, 할아버지' 꼬리에 꼬리를 무는
연관 단어로 초보자도 쉽게 외우고, 오래 기억에 남는다!

난이도	첫걸음 **초급** 중급 | 고급	기간	90일
대상	중국어 공부를 시작하는 학습자	목표	중국어로 의사표현 하기, 간단한 문장 만들기

핵심 문장 딱 40개만 알면 된다!

중국어
무작정 따라하기

김윤희 지음 | 288쪽 | 16,000원

생활 속에서, 여행을 가서, 비즈니스를 할 때도
중국어 40문장으로 할 말 다 한다!

생활 중국어, 비즈니스 중국어, 여행중국어 따로 배우지 마세요.
힘들이지 않아도 중국어가 입에서 술술~ 귀가 탁! 트입니다!

| 난이도 | 첫걸음 | 초급 | 중급 | 고급 |

기간 40일

대상 중국어를 처음 배우는 학습자, 말하기, 듣기,
읽기, 쓰기를 골고루 학습해보고 싶은 초급자

목표 핵심 문장 40개 익히기, 상황에
맞게 핵심 문장으로 대화하기

네이티브가 매일 쓰는 이 말,
무슨 뜻일까요?

01 친구 사이에

A 지용아, **我们是铁哥们~**

B 으, 으응...

▶ 정답은 49쪽에

02 아무 대답도 하기 싫을 때

A 너 걔랑 무슨 일 있었어?

B **你不用知道。**

▶ 정답은 81쪽에

03 이벤트를 준비해 준 남자 친구에게

A 짜잔! 널 위해 준비했어~

B **好感动啊!**

▶ 정답은 123쪽에

04 허풍 떠는 친구에게

A 중국어가 어려워? 난 쉽던데

B **别吹牛了。**

▶ 정답은 71쪽에

네이티브는 쉬운 중국어로 말한다 – 1000문장 편
The Native Chinese Speaks Easily - 1000 Sentences

ISBN 979-11-5924-043-0

값 **16,000원**

2권
0501~1000
문장

★

네이티브는
쉬운 중국어로
말한다

김소희(차라) 저

1000

문장편

중국인이 입에 달고 살고, 중드·대드에 꼭 나오는 1000문장을 모았다!

우리말과 중국어를 모두 녹음한 mp3 파일 무료 다운로드

길벗
이지:톡

독자의 **1초**를 아껴주는 정성!

—

세상이 아무리 바쁘게 돌아가더라도

책까지 아무렇게나 빨리 만들 수는 없습니다.

인스턴트 식품 같은 책보다는

오래 익힌 술이나 장맛이 밴 책을 만들고 싶습니다.

길벗이지톡은 독자여러분이 우리를 믿는다고 할 때 가장 행복합니다.

나를 아껴주는 어학도서, 길벗이지톡의 책을 만나보십시오.

독자의 1초를 아껴주는 정성을 만나보십시오.

미리 책을 읽고 따라해본 2만 베타테스터 여러분과 무따기 체험단, 길벗스쿨 엄마 2% 기획단,

시나공 평가단, 토익 배틀, 대학생 기자단까지!

믿을 수 있는 책을 함께 만들어주신 독자 여러분께 감사드립니다.

홈페이지의 '독자마당'에 오시면 책을 함께 만들 수 있습니다.

(주)도서출판 길벗 www.gilbut.co.kr

길벗 이지톡 www.gilbut.co.kr

길벗 스쿨 www.gilbutschool.co.kr

mp3 파일 다운로드 무작정 따라하기

길벗 홈페이지(www.gilbut.co.kr)로 오시면 오디오 파일 및 관련 자료를 다양하게 이용할 수 있습니다.

1단계   도서명 ▼ [   ] 검색 에 찾고자 하는 책 이름을 입력하세요.

2단계   검색한 도서로 이동하여 〈자료실〉을 클릭하세요.

3단계   mp3 및 다양한 자료를 받으세요.

★
네이티브는
쉬운 중국어로
말한다

문장편
1000

2권 | 0501-1000 문장

김소희(차라) 저

길벗
이지:톡

네이티브는 쉬운 중국어로 말한다 - 1000문장 편
The Native Chinese Speaks Easily - 1000 Sentences

초판 발행 · 2016년 6월 1일
초판 9쇄 발행 · 2023년 8월 30일

지은이 · 김소희
발행인 · 이종원
발행처 · (주)도서출판 길벗
브랜드 · 길벗이지톡
출판사 등록일 · 1990년 12월 24일
주소 · 서울시 마포구 월드컵로 10길 56(서교동)
대표전화 · 02)332-0931 / **팩스** · 02)323-0586
홈페이지 · www.gilbut.co.kr / **이메일** · eztok@gilbut.co.kr

담당 편집 · 박정현(bonbon@gilbut.co.kr) | **기획** · 이민경 | **디자인** · 황애라 | **제작** · 이준호, 손일순, 이진혁
마케팅 · 이수미, 최소영, 장봉석 | **영업관리** · 김명자, 심선숙 | **독자지원** · 윤정아

편집진행 및 교정교열 · 이혜원 | **전산편집** · 수(秀) 디자인 | **오디오 녹음 및 편집** · 와이알미디어
CTP 출력 및 인쇄 · 예림인쇄 | **제본** · 예림바인딩

ISBN 979-11-5924-043-0 03720
(길벗 도서번호 300855)

ⓒ 김소희 2016

정가 16,000원

독자의 1초까지 아껴주는 정성, 길벗출판사
(주)도서출판 길벗 | IT실용, IT/일반 수험서, IT전문서, 경제경영서, 취미실용서, 건강실용서, 자녀교육서 www.gilbut.co.kr
길벗스쿨 | 국어학습, 수학학습, 어린이교양, 주니어 어학학습, 학습단행본 www.gilbutschool.co.kr

"와, 이런 말도 할 줄 알아?"
"너 완전 중국인처럼 말한다!"
"한국인인 줄 몰랐잖아~"

중국인들에게 이런 말을 들을 수 있다면, 중국어 학습자로서는 최고의 찬사 아닐까요? 중국어 말하기, 어렵게 생각하면 한없이 어렵지만, 쉽게 생각하면 생각보다 정말 쉬운 영역입니다. 일반 교재에 담긴 정식 표현으로 기초 내공을 탄탄히 쌓았다면, 이제는 중국 현지인들이 잘 쓰는 꿀표현으로 반짝반짝 광을 낼 차례지요. 매끄럽고, 빛나는 중국어 회화를 돕고자 네이티브가 자주 쓰는 꿀표현 1,000문장을 담았습니다.

중국 드라마를 탈탈 털었다!

저는 매일 최소한 1시간 이상 중국 드라마 혹은 프로그램을 꼭 봅니다. 수년 간 제가 지켜 오고 있는 저만의 습관이자, 취미이자, 이제는 일상이 되어 버린 일이지요. 그 과정에서 중국어 회화는 정말 고정화된 패턴이 많으며, 현지인들이 진짜 잘 쓰는 표현이 따로 있다는 걸 알았습니다. 수년 간 드라마와 영화 등을 보며 지겹게 들었던, 지겹게 보았던 표현들을 탈탈 털어 이 안에 가득 담았습니다.

중국 SNS에서 살다시피 했다!

인터넷의 발달로 나날이 신조어가 늘어 갑니다. 중국 친구들과 대화를 하다가도, 종종 어리둥절해 질 때가 많죠. 이제는 중국의 젊은 친구들이 잘 쓰는 표현들도 알고 있어야 매끄러운 소통을 할 수 있습니다. 그리하여, 꿀표현 1,000문장을 뽑아내는 동안, 중국 SNS에서 살다시피 했습니다. 먼저 중국 친구들에게 자주 들었던 표현을 고른 뒤, 중국 SNS를 통해 수없는 서칭을 거쳐 수정 및 보강하였고, 마지막으로 감수를 맡은 중국인 선생님께 최종 확인을 거쳤습니다.

중국어 회화에는 '완성'이나 '정복'이 없습니다. '더 나은 것'이 있을 뿐이죠. '오늘은 어제보다 더, 내일은 오늘보다 더, 그리고 한 달 후에는 지금보다 더 나은 회화를 하자!'라는 마음가짐으로 차근히 접근하다 보면, 어느새 훌쩍 성장해 있을 겁니다. 중국어를 습관으로 만들어 보세요. 애인 만나듯, 매일, 꾸준히, 성실하게 만나고, 즐기고, 접하는 거예요. 그렇게 탄탄히 쌓인 중국어 내공은 시간이 흘러도 무너지지 않습니다. 매일 단 5문장만이라도 이 책에 담긴 꿀표현을 익히면서, 차근히 내공을 쌓아가자구요.

别着急，慢慢来!

2016년 6월

김소희 (차라)

하루 5분, 5문장 중국어 습관을 만드세요!

부담 없이 하루에 5문장 정도만 읽어 보세요. 매일매일의 습관이 중국어 실력을 만듭니다!

1단계 출근길 1분 30초 **중국어 표현을 보고 어떤 의미인지 생각해 보세요.**

한 페이지에 5문장의 중국어 표현이 정리되어 있습니다. 문장 아래 단어 뜻을 참고하여, 어떤 의미인지 생각해 보세요. 다음 페이지에서 뜻을 확인하고, 맞히지 못했다면 오른쪽 상단 체크 박스에 표시한 후 다음 문장으로 넘어 가세요.

2단계 이동 시 짬짬이 2분 **mp3 파일을 들으며 따라 해 보세요.**

mp3 파일에 녹음된 원어민 성우의 음성을 듣고 큰 소리로 따라 해 봅니다. 한자를 보고 발음이 생각나지 않는다면, 아래 병음을 보고 읽어 보세요. 표현을 쓸 상황을 상상하며 감정을 살려 연습하면, 실제 상황에서도 자신 있게 말할 수 있습니다.

3단계 퇴근길 1분 30초 **체크된 표현을 중심으로 한 번 더 확인하세요.**

미리 체크해 놓은 문장을 중심으로 앞 페이지에서는 중국어를 보며 우리말 뜻을 떠올려 보고, 뒤 페이지에서는 우리말 해석을 보고 중국어 문장을 5초 이내로 바로 말할 수 있다면 성공입니다!

 망각방지 복습법

매일매일 중국어 습관을 들이는 것과 함께 꼭 신경 써야 할 한 가지가 있습니다. 인간은 망각의 동물! 채워 넣을 것이 수없이 많은 복잡한 머릿속에서 입에 익숙하지 않은 중국어 문장은 1순위로 빠져나가겠지요. 그러니 자신 있게 외웠다고 넘어간 표현들도 하루만 지나면 절반 이상 잊어버립니다.

1단계 **망각방지장치 ❶**

10일에 한 번씩, 50문장을 공부한 후 복습에 들어갑니다. 통문장을 외워서 말해야 한다는 부담 없이, 핵심 키워드만 비워 놓아 가볍게 기억을 떠올려 볼 수 있습니다. 문장을 완성하지 못했다면, 체크하고 다시 앞으로 돌아가 한 번 더 복습합니다.

2단계 **망각방지장치 ❷**

20일에 한 번씩, 100문장을 복습할 수 있도록 10개의 대화문을 넣었습니다. 우리말 해석 부분을 중국어 표현으로 바꿔 말해 보세요. 네이티브들이 쓰는 생생한 대화로 복습하면, 앞에서 배운 문장을 실제로 어떻게 써먹을 수 있는지 감이 확실히 잡힐 거예요.

이 책의 구성

mp3 파일

해당 페이지를 공부할 수 있는 mp3 파일입니다. 우리말 해석과 중국어 문장을 모두 녹음하고, 원어민 남녀 성우가 각각 한 번씩 읽었습니다.

소주제

5개의 문장은 연관 없는 낱개의 문장이 아닙니다. 다섯 문장이 하나의 주제로 연결되어 있어, 하나의 문장만 기억나도 연관된 문장이 줄줄이 연상되도록 구성했습니다.

중국어 문장

한 페이지에 5개의 문장을 넣었습니다. 중국인이 자주 쓰는 표현 중에서 초중급자에게도 어렵지 않은 단어로 된 문장만 뽑았습니다.

단어

중국어 표현을 보고 어떤 뜻인지 감이 오지 않는다면, 간단히 정리한 단어를 참고하세요.

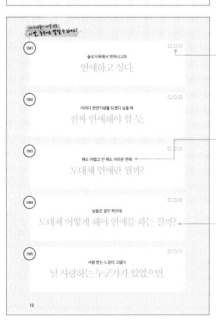

체크 박스

우리말 해석을 보면서 앞 페이지의 중국어 표현이 떠오르지 않는다면 체크하세요. 복습할 때 체크한 문장 위주로 학습합니다.

상황 설명

어떤 상황에서 주로 활용할 수 있는 표현인지 간단하지만 '확' 와 닿게 설명했습니다. 상황을 떠올리며 중국어 표현을 연습해 보세요.

우리말 해석

중국어 바로 뒤 페이지에 해석을 넣었습니다. 중국어 문장의 뜻과 뉘앙스를 100% 살려, 가장 자연스러운 우리말로 해석했습니다. 우리말을 보고 중국어가 바로 나올 수 있게 연습하세요!

확인학습 망각방지장치 ❶

표현 50개마다 문장을 복습할 수 있는 연습문제를 넣었습니다. 빈칸에 알맞은 말을 넣어 5초 이내에 문장을 말해 보세요. 틀린 문장은 오른쪽 표현 번호를 참고해, 그 표현이 나온 페이지로 돌아가서 다시 한번 확인하고 넘어 가세요.

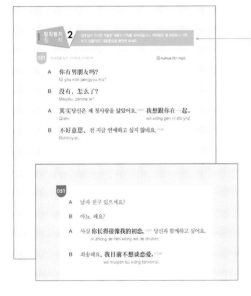

확인학습 망각방지장치 ❷

책에 나오는 문장들이 실생활에서 정말 쓰는 표현인지 궁금하다고요? 표현 100개를 배울 때마다, 표현을 활용할 수 있는 대화문 10개를 넣었습니다. 대화 상황 속에서 우리말 부분을 중국어로 바꿔 말해 보세요. 뒤 페이지에서 정답과 해석을 바로바로 확인할 수 있습니다.

mp3 파일 활용법

책에 수록된 모든 문장은 중국인 베테랑 성우의 목소리로 직접 녹음했습니다. 오디오만 들어도 이 책의 모든 문장을 외울 수 있도록, 중국어 문장뿐 아니라 우리말 해석까지 녹음했습니다. 한 페이지에 나오는 5개의 문장을 하나의 mp3 파일로 묶어, 모르는 부분을 쉽게 찾아 들을 수 있습니다. 중국어 문장이 입에 착! 붙을 때까지 여러 번 듣고 따라 하세요. mp3 파일은 길벗이지톡 홈페이지(www.eztok.co.kr)에서 무료로 다운로드 받거나, 각 Part가 시작하는 부분의 QR코드를 스캔해 스마트폰에서 바로 들을 수 있습니다.

1단계	**그냥 들으세요!**	우리말 해석 ➡ 중국어 문장 2회 (남/여)
2단계	**중국어로 말해 보세요!**	우리말 해석 ➡ 답하는 시간 ➡ 중국어 문장 1회

네이티브가
연애할 때
자주 쓰는 표현 100

Part 6 전체 듣기

두근두근 썸을 타다가 고백을 하고,
설렘설렘 연애를 하다가 권태기도 겪고,
눈물 뚝뚝 이별도 했다가
다시 불타올라 재회도 하고,
결국 감동 철철 넘치는 프러포즈까지.
우리와 다르지 않은 중국인의 연애,
네이티브는 어떤 말로 연애를 할까요?

0501 ☐☐☐

我想谈恋爱。

Wǒ xiǎng tánliàn'ài.

谈恋爱 tánliàn'ài 연애하다, 사랑을 속삭이다

0502 ☐☐☐

真的该谈恋爱了。

Zhēnde gāi tánliàn'ài le.

0503 ☐☐☐

到底什么才是恋爱？

Dàodǐ shénme cái shì liàn'ài?

到底 dàodǐ 도대체

0504 ☐☐☐

到底怎么才能谈恋爱？

Dàodǐ zěnme cái néng tánliàn'ài?

0505 ☐☐☐

我想有人爱我。

Wǒ xiǎng yǒurén ài wǒ.

有人 yǒurén 누군가, 어떤 사람

11

0501

솔로지옥에서 벗어나고파

연애하고 싶다.

0502

이러다 천연기념물 되겠다 싶을 때

진짜 연애해야 할 듯.

0503

해도 어렵고 안 해도 어려운 연애

도대체 연애란 뭘까?

0504

남들은 잘만 하던데

도대체 어떻게 해야 연애를 하는 걸까?

0505

사랑 받는 느낌이 그립다

날 사랑하는 누군가가 있었으면.

🎧 0506~0510.mp3

0506

我们是不是在哪里见过面？
Wǒmen shì bu shì zài nǎlǐ jiànguo miàn?

0507

你长得很像我的初恋。
Nǐ zhǎng de hěn xiàng wǒ de chūliàn.

像 xiàng 닮다, 비슷하다 ∣ 初恋 chūliàn 첫사랑

0508

我们是恋人还是朋友？
Wǒmen shì liànrén háishi péngyou?

恋人 liànrén 연인, 애인

0509

超出了友情，却还没到达爱情。
Chāochūle yǒuqíng, què hái méi dàodá àiqíng.

超出 chāochū 넘다 ∣ 却 què 그러나 ∣ 到达 dàodá 이르다

0510

暧昧男 / 暧昧女
àimèinán / àimèinǚ

暧昧 àimèi 애매하다, 불확실하다

13

0506

고전적인 작업 멘트 1

우리 어디서 만난 적 있지?

0507

고전적인 작업 멘트 2

넌 내 첫사랑을 닮았어.

0508

남친 같은 남사친, 여친 같은 여사친

우린 연인일까, 친구일까?

0509

아마도 사랑과 우정 사이

우정 그 이상, 사랑은 아직.

0510

애매한 관계의 그와 그녀

썸남 / 썸녀

🎧 0511~0515.mp3

0511 ☐☐☐

他们两个暧昧不清。
Tāmen liǎng ge àimèibuqīng.

不清 buqīng 확실치 않다, 불분명하다

0512 ☐☐☐

玩暧昧很久了。
Wán àimèi hěn jiǔ le.

0513 ☐☐☐

分不清我们是什么关系。
Fēnbuqīng wǒmen shì shénme guānxi.

分不清 fēnbuqīng 확실히 분별할 수 없다 | 关系 guānxi 관계

0514 ☐☐☐

一般我主动联系他(她)。
Yìbān wǒ zhǔdòng liánxì tā(tā).

一般 yìbān 보통이다, 일반적이다 | 主动 zhǔdòng 주동적인, 자발적인 | 联系 liánxì 연락하다

0515 ☐☐☐

他(她)几乎不主动联系我。
Tā(tā) jīhū bù zhǔdòng liánxì wǒ.

几乎 jīhū 거의

0511

‘썸띵 있어(有点儿什么)’도 가능

걔네 둘이 썸 타.

0512

‘애매함을 즐기다(玩暧昧/搞暧昧)’로도 ‘썸’을 표현

썸 탄 지 오래됐어.

0513

친구일까 연인일까

우리가 무슨 사이인지 모르겠어.

0514

내가 연락을 주도하고 있는 경우

보통 내가 먼저 연락해.

0515

그/그녀는 왜 연락을 먼저 하지 않을까?

그 남자(여자)는 나한테
먼저 연락 잘 안 해.

(0516)

我喜欢你，我们交往吧。

Wǒ xǐhuan nǐ, wǒmen jiāowǎng ba.

交往 jiāowǎng 교제하다

(0517)

我们在一起吧。

Wǒmen zài yìqǐ ba.

(0518)

我喜欢你很久了。

Wǒ xǐhuan nǐ hěn jiǔ le.

(0519)

我对你一见钟情了。

Wǒ duì nǐ yíjiànzhōngqíng le.

一见钟情 yíjiànzhōngqíng 첫눈에 반하다

(0520)

你愿意做我的女(男)朋友吗?

Nǐ yuànyì zuò wǒ de nǚ(nán) péngyou ma?

愿意 yuànyì 원하다, 동의하다

0516 ☐ ☐ ☐

상남자다운 돌직구 고백

나 너 좋아해, 우리 사귀자.

0517 ☐ ☐ ☐

고백에서 '함께하다(在一起)'는 사귀자는 의미!

우리 사귀자.

0518 ☐ ☐ ☐

오랜 짝사랑 후 고백할 때

오랫동안 널 좋아했어.

0519 ☐ ☐ ☐

첫눈에 바로 사랑에 빠진 경우

너한테 첫눈에 반했어.

0520 ☐ ☐ ☐

평범하지만 진심이 담긴 멘트

내 여친(남친)이 되어 줄래?

0521 □ □ □

我喜欢你吗?
Wǒ xǐhuan nǐ ma?

0522 □ □ □

你是我的初恋。
Nǐ shì wǒ de chūliàn.

0523 □ □ □

我对你是真心的。
Wǒ duì nǐ shì zhēnxīn de.

真心 zhēnxīn 진심

0524 □ □ □

我想跟你约会。
Wǒ xiǎng gēn nǐ yuēhuì.

约会 yuēhuì 만날 약속을 하다, 데이트를 하다

0525 □ □ □

我们来认真谈恋爱吧。
Wǒmen lái rènzhēn tánliàn'ài ba.

认真 rènzhēn 진지하다, 진솔하다

19

0521 ☐ ☐ ☐

중국에서도 유행어가 된 〈상속자들〉 명대사

나 너 좋아하냐?

0522 ☐ ☐ ☐

언제나 처음처럼

넌 나의 첫사랑이야.

0523 ☐ ☐ ☐

고백 중 나의 진심을 어필하고 싶을 때

나 너한테 진심이야.

0524 ☐ ☐ ☐

데이트 신청할 때

너랑 데이트 하고 싶어.

0525 ☐ ☐ ☐

썸에서 연인 사이로

우리 진지하게 연애하자.

□ □ □

其实我有喜欢的人了。
Qíshí wǒ yǒu xǐhuan de rén le.

□ □ □

我一直把你当朋友看。
Wǒ yìzhí bǎ nǐ dàng péngyou kàn.

□ □ □

我们还是做朋友吧。
Wǒmen háishi zuò péngyou ba.

还是 háishi 변함없이, 원래대로, ~하는 편이 낫다

□ □ □

我现在以学业为重。
Wǒ xiànzài yǐ xuéyè wéizhòng.

以~为重 yǐ~wéizhòng ~을 중시하다

□ □ □

我目前不想谈恋爱。
Wǒ mùqián bù xiǎng tánliàn'ài.

目前 mùqián 지금, 현재

21

0526

다른 사람을 좋아하고 있는 경우

사실 나 좋아하는 사람 있어.

0527

친구 이상의 감정은 아닐 때

난 줄곧 널 친구로 생각해 왔어.

0528

연인보단 친구 사이가 더 좋은 경우

우리 그냥 친구로 지내자.

0529

'학업(学业)' 대신 '일(工作)'로도 대체 가능

난 지금 학업이 중요해.

0530

솔로가 그리웠거나 솔로를 좀 더 즐기고 싶을 때

난 지금 연애하고 싶지 않아.

0531~0535.mp3

04 | 고백 거절하기

0531

我们不适合。
Wǒmen bú shìhé.

0532

彼此了解太少。
Bǐcǐ liǎojiě tài shǎo.

彼此 bǐcǐ 서로 | 了解 liǎojiě 이해하다, 자세히 알다

0533

你给我个时间考虑。
Nǐ gěi wǒ ge shíjiān kǎolǜ.

考虑 kǎolǜ 고려하다, 생각하다

0534

你会找到更好的人。
Nǐ huì zhǎodào gèng hǎo de rén.

0535

我得死心。
Wǒ děi sǐxīn.

死心 sǐxīn 단념하다, 희망을 버리다

0531 ☐ ☐ ☐

돌직구지만 깔끔한 멘트

우린 안 어울려.

0532 ☐ ☐ ☐

고백이 이르다 싶을 때

서로 잘 모르잖아.

0533 ☐ ☐ ☐

고민이 될 때

나한테 생각할 시간을 줘.

0534 ☐ ☐ ☐

상처를 덜 줄 수 있는 거절 멘트

넌 더 좋은 사람 만날 수 있을 거야.

0535 ☐ ☐ ☐

단념이란 '마음을 죽이는 것(死心)'처럼 아픈 것

내가 마음 접어야겠다.

🎧 0536~0540.mp3

0536 ☐☐☐

我告白成功了。
Wǒ gàobái chénggōng le.

告白 gàobái 고백하다 | 成功 chénggōng 성공하다, 이루다

0537 ☐☐☐

我有女(男)朋友了。
Wǒ yǒu nǚ(nán) péngyou le.

0538 ☐☐☐

我谈恋爱了。
Wǒ tánliàn'ài le.

0539 ☐☐☐

我解脱单身了。
Wǒ jiětuō dānshēn le.

解脱 jiětuō 벗어나다 | 单身 dānshēn 솔로, 싱글

0540 ☐☐☐

谁追谁的?
Shéi zhuī shéi de?

追 zhuī 쫓아가다, (이성을) 따라다니다, 사랑을 호소하다

25

0536

커플 천국에 입성했을 때

나 고백한 거 성공했다.

0537

이제 썸남/썸녀는 끝

나 여친(남친) 생겼다.

0538

오늘부터 1일!

나 연애한다.

0539

솔로 지옥을 벗어났을 때

나 솔로 탈출했어.

0540

'좋아하는 사람에게 대시하는 것'을 '追'로 표현

누가 먼저 대시했어?

0541

你是我的。
Nǐ shì wǒ de.

0542

你喜欢我什么?
Nǐ xǐhuan wǒ shénme?

0543

喜欢一个人不需要理由。
Xǐhuan yí ge rén bù xūyào lǐyóu.

理由 lǐyóu 이유, 까닭

0544

相信我好吗?
Xiāngxìn wǒ hǎo ma?

0545

讨厌!
Tǎoyàn!

27

0541

소유욕 급상승!

넌 내 거야.

0542

왠지 확인해 보고 싶은 마음

나 어디가 좋아?

0543

'그냥 네 자체가 좋아'의 의미로

좋아하는 데 이유가 어디 있어.

0544

연인 사이에선 믿음이 중요

나 믿어 줄래?

0545

진짜 밉다기보단 애교의 표현

미워!

🎧 0546~0550.mp3

0546

我们是天生一对。
Wǒmen shì tiānshēng yíduì.

天生 tiānshēng 타고난, 선천적인 | 一对 yíduì 한 쌍

0547

没有人比我们更相配。
Méiyǒu rén bǐ wǒmen gèng xiāngpèi.

相配 xiāngpèi 서로 어울리다, 짝이 맞다

0548

我永远爱你到老。
Wǒ yǒngyuǎn ài nǐ dào lǎo.

永远 yǒngyuǎn 언제까지나, 영원히

0549

我会一直在你身边。
Wǒ huì yìzhí zài nǐ shēnbiān.

身边 shēnbiān 곁

0550

能和你在一起我感到很幸福。
Néng hé nǐ zài yìqǐ wǒ gǎndào hěn xìngfú.

幸福 xìngfú 행복하다

29

0546 ☐ ☐ ☐

사랑꾼 납시오

우린 천생연분.

0547 ☐ ☐ ☐

천생연분이라는 말로도 모자라

우리보다 더 잘 맞는 짝은 없지.

0548 ☐ ☐ ☐

지금 이 순간만큼은 믿고 싶은 멘트

늙을 때까지 널 영원히 사랑해.

0549 ☐ ☐ ☐

사랑은 함께하는 것

내가 계속 네 곁에 있을게.

0550 ☐ ☐ ☐

행복을 느끼게 해 줘서 고마워

너랑 함께할 수 있어서 난 행복해.

망각방지
장 치 **1**

하루만 지나도 학습한 내용의 50%가 머릿속에서 도망가 버린다는 사실! 과연 여러분은? 5분 안에 아래의 25개를 말해 보세요. 아침에 한 번 했다면, 저녁에 또 한 번!

○　✕　복습

01	연애하고 싶다.	我想　　　　　　　　　恋爱。	☐ ☐	0501
02	도대체 연애란 뭘까?	什么才是恋爱?	☐ ☐	0503
03	넌 내 첫사랑을 닮았어.	你长得很像我的　　　　。	☐ ☐	0507
04	우린 연인일까, 친구일까?	我们是　　　　　还是朋友?	☐ ☐	0508
05	우정 그 이상, 사랑은 아직.	了友情，却还没到达爱情。	☐ ☐	0509
06	썸남	男	☐ ☐	0510
07	썸 탄 지 오래됐어.	暧昧很久了。	☐ ☐	0512
08	보통 내가 먼저 연락해.	一般我　　　联系他(她)。	☐ ☐	0514
09	우리 사귀자.(직접적)	我们　　　　　　　　吧。	☐ ☐	0516
10	너한테 첫눈에 반했어.	我对你　　　　　　　了。	☐ ☐	0519
11	너랑 데이트 하고 싶어.	我想跟你　　　　　　。	☐ ☐	0524
12	우리 진지하게 연애하자.	我们来　　　谈恋爱吧。	☐ ☐	0525
13	난 줄곧 널 친구로 생각해 왔어.	我一直把你　　　朋友看。	☐ ☐	0527

정답 01 谈　02 到底　03 初恋　04 恋人　05 超出　06 暧昧　07 玩　08 主动　09 交往　10 一见钟情
11 约会　12 认真　13 当

14	난 지금 학업이 중요해.	我现在以学业		。	☐ ☐	0529
15	우린 안 어울려.	我们不		。	☐ ☐	0531
16	서로 잘 모르잖아.		了解太少。		☐ ☐	0532
17	내가 마음 접어야겠다.	我得		。	☐ ☐	0535
18	나 고백한 거 성공했다.	我	成功了。		☐ ☐	0536
19	나 솔로 탈출했어.	我解脱	了。		☐ ☐	0539
20	누가 먼저 대시했어?	谁	谁的?		☐ ☐	0540
21	좋아하는 데 이유가 어디 있어.	喜欢一个人不需要		。	☐ ☐	0543
22	미워!		!		☐ ☐	0545
23	우린 천생연분.	我们是		。	☐ ☐	0546
24	늙을 때까지 널 영원히 사랑해.	我永远爱你		。	☐ ☐	0548
25	내가 계속 네 곁에 있을게.	我会一直在你		。	☐ ☐	0549

맞은 개수: **25개 중** _____ **개**

당신은 그동안 _____ %를 잊어버렸습니다.

틀린 문장들은 다시 한번 보고 넘어가세요.

0551

我重要还是游戏重要?
Wǒ zhòngyào háishi yóuxì zhòngyào?

游戏 yóuxì 게임

0552

我跟他(她)一点关系都没有。
Wǒ gēn tā(tā) yìdiǎn guānxi dōu méiyǒu.

0553

你为什么就不能相信我呢?
Nǐ wèishénme jiù bù néng xiāngxìn wǒ ne?

0554

你让我怎么相信你?
Nǐ ràng wǒ zěnme xiāngxìn nǐ?

0555

信任是相互的。
Xìnrèn shì xiānghù de.

信任 xìnrèn 신임하다, 신뢰하다 | 相互 xiānghù 상호 (간), 서로 (간)

0551 ☐ ☐ ☐

'게임(游戏)' 대신 '일(工作)', '친구(朋友)' 등으로 응용 가능

내가 중요해, 게임이 중요해?

0552 ☐ ☐ ☐

애인이 의심할 때

나 그 남자(여자)랑 아무 사이도 아냐.

0553 ☐ ☐ ☐

믿어 주지 않는 애인이 답답할 때

왜 날 못 믿는 거야?

0554 ☐ ☐ ☐

믿음이 깨졌는데 다짜고짜 믿으라고만 할 때

나보고 널 어떻게 믿으라는 거야?

0555 ☐ ☐ ☐

신뢰는 두 사람이 함께 쌓아 가는 것

신뢰는 상호적인 거야.

0556~0560.mp3

 □ □ □

错哪儿了?

Cuò năr le?

 □ □ □

我也有自尊。

Wǒ yě yǒu zìzūn.

自尊 zìzūn 자존(하다)

 □ □ □

为什么不回信息?

Wèishénme bù huí xìnxī?

信息 xìnxī 메시지, 편지

 □ □ □

你厌烦我了吗?

Nǐ yànfán wǒ le ma?

厌烦 yànfán 싫증 나다, 넌더리 나다

□ □ □

快来哄我!

Kuàilái hŏng wǒ!

哄 hŏng 달래다, 구슬리다

0556

국적 불문 여친들이 잘하는 말

뭘 잘못했는데?

0557

애인이 내 자존심을 구기려 할 때

나도 자존심이 있어.

0558

사랑 싸움의 단골 멘트

왜 답문을 안 해?

0559

애인이 변한 것 같을 때

내가 싫증 난 거야?

0560

귀엽게 화해 요청하기

빨리 와서 달래 줘!

0561 □ □ □

我们好像进入了倦怠期。

Wǒmen hǎoxiàng jìnrùle juàndàiqī.

进入 jìnrù (어떤 시기 또는 상태에) 진입하다 | 倦怠期 juàndàiqī 권태기

0562 □ □ □

不知不觉中变得陌生了。

Bùzhībùjué zhōng biàn de mòshēng le.

不知不觉 bùzhībùjué 자기도 모르는 사이에 | 陌生 mòshēng 낯설다

0563 □ □ □

你不觉得我们都变了吗?

Nǐ bù juéde wǒmen dōu biàn le ma?

0564 □ □ □

你好像在慢慢远离我。

Nǐ hǎoxiàng zài mànmàn yuǎnlí wǒ.

慢慢 mànmàn 천천히, 차츰 | 远离 yuǎnlí 멀리 떠나다

0565 □ □ □

爱情也有保质期。

Àiqíng yě yǒu bǎozhìqī.

保质期 bǎozhìqī 품질 보증 기간, 유통 기한

37

0561

왠지 둘 사이가 예전 같지 않을 때

우리 권태기 왔나 봐.

0562

특별한 이유 없이 거리감이 느껴질 때

어느 샌가 낯설어졌어.

0563

서로의 마음이 예전 같지 않게 느껴질 때

우리 둘 다 변한 거 같지 않아?

0564

나는 그대로인데, 상대방이 멀어진 것 같을 때

네가 조금씩 멀어지는 것 같아.

0565

둘만의 방부제를 준비해야 하는 이유

사랑에도 유통 기한이 있어.

09 | 우리 헤어져

0566

我们分手吧。
Wǒmen fēnshǒu ba.

0567

我们结束吧。
Wǒmen jiéshù ba.

结束 jiéshù 끝나다, 마치다

0568

为什么要跟我分手?
Wèishénme yào gēn wǒ fēnshǒu?

0569

你有没有真的爱过我?
Nǐ yǒu méiyǒu zhēnde àiguo wǒ?

0570

你的心是不是早就不在我这儿了?
Nǐ de xīn shì bu shì zǎojiù bú zài wǒ zhèr le?

0566

이별을 말할 때

우리 헤어지자.

0567

둘 사이를 지속하고 싶지 않을 때

우리 끝내자.

0568

생각지 못한 이별 통보에

왜 나랑 헤어지겠다는 거야?

0569

날 사랑하던 상대방의 모습이 아닐 때

진짜 날 사랑한 적 있었니?

0570

이별이 다가옴을 조금씩 느끼고 있었을 때

진작 나한테서 마음 떠났던 거 아냐?

0571

你有别人了?
Nǐ yǒu biérén le?

0572

你让我一个人怎么办?
Nǐ ràng wǒ yí ge rén zěnme bàn?

0573

别离开我，好不好?
Bié líkāi wǒ, hǎo bu hǎo?

离开 líkāi 떠나다, 헤어지다

0574

我真的不能没有你。
Wǒ zhēnde bù néng méiyǒu nǐ.

0575

我好像真的离不开你了。
Wǒ hǎoxiàng zhēnde líbukāi nǐ le.

离不开 líbukāi 떠날 수 없다, 벗어날 수 없다

0571

어쩐지 이상했어

너 다른 사람 생겼어?

0572

갑자기 혼자가 된다는 게 두려울 때

나 혼자서 어떡하라고?

0573

붙잡고 싶을 때

날 떠나지 마, 응?

0574

혼자서는 도저히 안 될 것 같을 때

난 정말 너 없으면 안 돼.

0575

이별을 도저히 받아들일 수 없을 때

난 정말 널 못 떠날 것 같아.

0576

我被甩了。

Wǒ bèi shuǎi le.

甩 shuǎi (연인 관계에서) 차다, 관계를 끊다

0577

男(女)朋友劈腿了。

Nán(nǚ) péngyou pǐtuǐ le.

0578

因性格不合而分手了。

Yīn xìnggé bùhé ér fēnshǒu le.

性格不合 xìnggé bùhé 성격이 맞지 않다

0579

因为父母不同意而分手了。

Yīnwèi fùmǔ bù tóngyì ér fēnshǒu le.

同意 tóngyì 동의하다, 찬성하다

0580

连分手的理由都不知道。

Lián fēnshǒu de lǐyóu dōu bù zhīdào.

0576

상대방이 헤어지자 한 경우

나 차였어.

0577

애인에게 또 다른 상대가 있었던 경우

남친(여친)이 양다리 걸쳤어.

0578

수많은 커플이 말하는 이별의 이유

성격 차이로 헤어졌어.

0579

결국 부모님의 뜻을 거스르지 못한 경우

부모님 반대로 헤어졌어.

0580

가장 답답한 이별의 이유

헤어진 이유조차 몰라.

0581

我又恢复单身了。
Wǒ yòu huīfù dānshēn le.

恢复 huīfù 회복하다

0582

我真的很想忘记你。
Wǒ zhēnde hěn xiǎng wàngjì nǐ.

0583

很想忘记关于你的一切。
Hěn xiǎng wàngjì guānyú nǐ de yíqiè.

关于 guānyú ~에 관한

0584

没有你真的很不习惯。
Méiyǒu nǐ zhēnde hěn bù xíguàn.

习惯 xíguàn 적응하다, 익숙해지다

0585

祝福你永远幸福。
Zhùfú nǐ yǒngyuǎn xìngfú.

祝福 zhùfú 행복을 빌다, 기원하다

0581 ☐ ☐ ☐

커플에서 솔로가 되었을 때

나 또 솔로로 돌아옴.

0582 ☐ ☐ ☐

헤어진 그 후

진짜 널 잊고 싶어.

0583 ☐ ☐ ☐

자꾸 생각이 나 괴로울 때

너에 대한 모든 걸 잊고 싶다.

0584 ☐ ☐ ☐

준비 없이 이별을 맞은 경우

네가 없는 게 정말 적응이 안 돼.

0585 ☐ ☐ ☐

마지막 인사

네가 영원히 행복하길 빌게.

0586

☐ ☐ ☐

我们两个重新开始吧。

Wǒmen liǎng ge chóngxīn kāishǐ ba.

重新 chóngxīn 다시, 새로

0587

☐ ☐ ☐

我想挽救我们的爱情。

Wǒ xiǎng wǎnjiù wǒmen de àiqíng.

挽救 wǎnjiù 구해 내다, 만회하다

0588

☐ ☐ ☐

我想回到你身边。

Wǒ xiǎng huídào nǐ shēnbiān.

0589

☐ ☐ ☐

你还爱我，对不对?

Nǐ hái ài wǒ, duì bu duì?

0590

☐ ☐ ☐

我对你的爱，从来没变过。

Wǒ duì nǐ de ài, cónglái méi biànguo.

从来 cónglái 여태껏, 지금까지

0586

헤어진 후 다시 만나고 싶을 때

우리 다시 시작하자.

0587

어긋난 관계를 다시 되돌리고 싶다는 의미로

우리 사랑을 만회하고 싶어.

0588

함께였던 시간이 그리워질 때

네 곁으로 돌아가고 싶어.

0589

다시 한번 상대의 마음을 확인하고 싶을 때

아직도 나 사랑하는 거 맞지?

0590

헤어진 후에도 마음이 여전할 때

너에 대한 내 사랑은 변한 적 없어.

🎧 0591~0595.mp3

0591

你嫁给我吧。

Nǐ jià gěi wǒ ba.

嫁 jià 시집가다

0592

你愿意嫁给我吗?

Nǐ yuànyì jià gěi wǒ ma?

0593

你愿意做我的妻子吗?

Nǐ yuànyì zuò wǒ de qīzi ma?

妻子 qīzi 아내

0594

做我的新娘吧。

Zuò wǒ de xīnniáng ba.

新娘 xīnniáng 신부

0595

我想一辈子都跟你过日子。

Wǒ xiǎng yíbèizi dōu gēn nǐ guòrìzi.

一辈子 yíbèizi 한평생, 일생 | 过日子 guòrìzi 생활하다, 살아가다

0591

남자에게는 '嫁' 대신 '娶'

나랑 결혼해 줘.

0592

평범하지만 진솔한 표현

나랑 결혼해 줄래?

0593

남자에게는 '妻子' 대신 '丈夫'

내 아내가 되어 줄래?

0594

남자에게는 '新娘' 대신 '新郎'

내 신부가 되어 줘.

0595

결혼은 둘이 함께 '살아가는 것'

평생 너와 함께 살고 싶어.

我会爱你一辈子。
Wǒ huì ài nǐ yíbèizi.

我会养你一辈子。
Wǒ huì yǎng nǐ yíbèizi.

养 yǎng (사람에게 쓰여) 먹여 살리다

我不想错过你。
Wǒ bù xiǎng cuòguò nǐ.

错过 cuòguò 놓치다, 엇갈리다

这是我特意为你准备的。
Zhè shì wǒ tèyì wèi nǐ zhǔnbèi de.

特意 tèyì 특별히, 일부러

我愿意。
Wǒ yuànyì.

0596 ☐ ☐ ☐

프로포즈의 단골 멘트

평생 널 사랑할게.

0597 ☐ ☐ ☐

동물에게 쓰면 '평생 키워 주겠다'란 의미

평생 너 먹여 살릴게.

0598 ☐ ☐ ☐

인연이라면 잡아야죠

나 널 놓치기 싫어.

0599 ☐ ☐ ☐

프로포즈 때 곁들여 쓸 수 있는 멘트

널 위해 내가 특별히 준비한 거야.

0600 ☐ ☐ ☐

프로포즈에 대한 대답

예스 아이 두.

망각방지 장치 1

하루만 지나도 학습한 내용의 50%가 머릿속에서 도망가 버린다는 사실! 과연 여러분은? 5분 안에 아래의 25개를 말해 보세요. 아침에 한 번 했다면, 저녁에 또 한 번!

○ ✕ 복습

01	내가 중요해, 게임이 중요해?	我重要	游戏重要?			0551
02	나보고 널 어떻게 믿으라는 거야?	你	我怎么相信你?			0554
03	신뢰는 상호적인 거야.	信任是	的。			0555
04	왜 답문을 안 해?	为什么不回	?			0558
05	내가 싫증 난 거야?	你	我了吗?			0559
06	우리 권태기 왔나 봐.	我们好像进入了	。			0561
07	어느 샌가 낯설어졌어.	不知不觉中变得	了。			0562
08	네가 조금씩 멀어지는 것 같아.	你好像在慢慢	我。			0564
09	우리 끝내자.	我们	吧。			0567
10	너 다른 사람 생겼어?	你有	了?			0571
11	날 떠나지 마, 응?	别	我，好不好?			0573
12	나 차였어.	我被	了。			0576
13	남친이 양다리 걸쳤어.	男朋友	了。			0577

정답 01 还是 02 让 03 相互 04 信息 05 厌烦 06 倦怠期 07 陌生 08 远离 09 结束 10 别人 11 离开 12 甩 13 劈腿

53

14	헤어진 이유조차 몰라.	分手的理由都不知道。	☐ ☐ 0580
15	나 또 솔로로 돌아옴.	我又恢复 　　　 了。	☐ ☐ 0581
16	너에 대한 모든 걸 잊고 싶다.	很想忘记 　　　 你的一切。	☐ ☐ 0583
17	네가 영원히 행복하길 빌게.	祝福你 　　　 幸福。	☐ ☐ 0585
18	우리 다시 시작하자.	我们两个 　　　 开始吧。	☐ ☐ 0586
19	우리 사랑을 만회하고 싶어.	我想 　　　 我们的爱情。	☐ ☐ 0587
20	너에 대한 내 사랑은 변한 적 없어.	我对你的爱，　　　 没变过。	☐ ☐ 0590
21	나랑 결혼해 줘.	你 　　　 给我吧。	☐ ☐ 0591
22	내 신부가 되어 줘.	做我的 　　　 吧。	☐ ☐ 0594
23	평생 너와 함께 살고 싶어.	我想一辈子都跟你 　　　 。	☐ ☐ 0595
24	평생 너 먹여 살릴게.	我会 　　　 你一辈子。	☐ ☐ 0597
25	나 널 놓치기 싫어.	我不想 　　　 你。	☐ ☐ 0598

맞은 개수 : **25개 중** ＿＿＿＿＿ **개**

당신은 그동안 ＿＿＿＿＿ %를 잊어버렸습니다.
틀린 문장들은 다시 한번 보고 넘어가세요.

정답 14 连 15 单身 16 关于 17 永远 18 重新 19 挽救 20 从来 21 嫁 22 新娘 23 过日子 24 养 25 错过

망각방지
장 치 **2**

일주일이 지나면 학습한 내용의 70%를 잊어버립니다. 여러분은 몇 퍼센트나 기억하고 있을까요? 대화문으로 확인해 보세요.

051 첫사랑을 닮은 그녀에게 고백할 때 　　　　　　　🎧 huihua 051.mp3

A 你有男朋友吗?
　　Nǐ yǒu nán péngyou ma?

B 没有，怎么了?
　　Méiyǒu, zěnme le?

A 其实당신은 제 첫사랑을 닮았어요, ⁰⁵⁰⁷ 我想跟你在一起。
　　Qíshí 　　　　　　　　　　　　　　　 wǒ xiǎng gēn nǐ zài yìqǐ.

B 不好意思，전 지금 연애하고 싶지 않네요. ⁰⁵³⁰
　　Bùhǎoyìsi,

052 밸런타인데이를 앞두고 고백할 때 　　　　　　　🎧 huihua 052.mp3

A 情人节快到了，你打算怎么过?
　　Qíngrén Jié kuài dào le, nǐ dǎsuàn zěnme guò?

B 난 너랑 데이트 하고 싶어. ⁰⁵²⁴

A 不要开玩笑。
　　Búyào kāiwánxiào.

B 我不是开玩笑的，오랫동안 널 좋아했어! ⁰⁵¹⁸
　　Wǒ bú shì kāiwánxiào de,

- -

• 情人节 Qíngrén Jié 밸런타인데이

051

A 남자 친구 있으세요?

B 아뇨, 왜요?

A 사실 **你长得很像我的初恋,** 0507 당신과 함께하고 싶어요.
   nǐ zhǎng de hěn xiàng wǒ de chūliàn,

B 죄송해요, **我目前不想谈恋爱。** 0530
   wǒ mùqián bù xiǎng tánliàn'ài.

A 곧 밸런타인데이네, 너 어떻게 보낼 거야?

B **我想跟你约会。** 0524
   Wǒ xiǎng gēn nǐ yuēhuì.

A 농담하지 마.

B 나 농담 아니야, **我喜欢你很久了!** 0518
   wǒ xǐhuan nǐ hěn jiǔ le!

A　老李，你还是找别人吧。
Lǎo Lǐ, nǐ háishi zhǎo biérén ba.

B　为什么？你为什么拒绝我？
Wèishénme? Nǐ wèishénme jùjué wǒ?

A　우린 안 어울려.⁰⁵³¹

B　我会对你好的，믿어 줄래?⁰⁵⁴⁴
Wǒ huì duì nǐ hǎo de,

● **拒绝** jùjué 거절하다

A　有一个好消息! 나 솔로 탈출했어!⁰⁵³⁹
Yǒu yí ge hǎo xiāoxi!

B　真的假的？跟老军在一起了吗？
Zhēnde jiǎde? Gēn Lǎo Jūn zài yìqǐ le ma?

A　对啊。
Duì a.

B　你真行! 누가 먼저 대시했어?⁰⁵⁴⁰
Nǐ zhēn xíng!

● **消息** xiāoxi 소식, 정보

A 라오리, 그래도 다른 사람 찾아 봐.

B 왜? 왜 날 거절하는 건데?

A **我们不适合。** 0531
Wǒmen bú shìhé.

B 내가 잘할게, **相信我好吗?** 0544
xiāngxìn wǒ hǎo ma?

A 좋은 소식 있다! **我解脱单身了!** 0539
Wǒ jiětuō dānshēn le!

B 진짜? 라오쥔하고 사귀는 거야?

A 맞아.

B 너 제법이다! **谁追谁的?** 0540
Shéi zhuī shéi de?

A 亲爱的，我想问你一个问题。
Qīn'ài de, wǒ xiǎng wèn nǐ yí ge wèntí.

B 说吧!
Shuō ba!

A 나 어디가 좋아? 0542

B 傻瓜，좋아하는 데 이유가 어디 있어. 0543
Shǎguā,

● 亲爱的 qīn'ài de 자기야, 달링

A 我昨天看见你跟一个女人吃饭，她是谁?
Wǒ zuótiān kànjiàn nǐ gēn yí ge nǚrén chīfàn, tā shì shéi?

B 她是同班同学。 나 그 애랑 아무 사이도 아냐. 0552
Tā shì tóngbān tóngxué.

A 那你为什么跟她一起吃饭呢?
Nà nǐ wèishénme gēn tā yìqǐ chīfàn ne?

B 你在怀疑我吗? 왜 날 못 믿는 거야? 0553
Nǐ zài huáiyí wǒ ma?

● 看见 kànjiàn 보다　同班 tóngbān 같은 반　同学 tóngxué 학교 친구　怀疑 huáiyí 의심하다

A 자기야, 묻고 싶은 게 하나 있어.

B 말해 봐!

A **你喜欢我什么?** 0542
Nǐ xǐhuan wǒ shénme?

B 바보, **喜欢一个人不需要理由。** 0543
xǐhuan yí ge rén bù xūyào lǐyóu.

A 어제 다른 여자랑 밥 먹는 거 봤어, 그 여자 누구야?

B 같은 반 친구. **我跟她一点关系都没有。** 0552
Wǒ gēn tā yìdiǎn guānxi dōu méiyǒu.

A 그럼 왜 걔랑 같이 밥을 먹은 건데?

B 너 날 의심하는 거야? **你为什么就不能相信我呢?** 0553
Nǐ wèishénme jiù bù néng xiāngxìn wǒ ne?

A   亲爱的，我错了。消消气，好吗?
        Qīn'ài de, wǒ cuò le.   Xiāoxiāoqì, hǎo ma?

B   뭘 잘못했는데?⁰⁵⁵⁶

A   哪里都错了。
        Nǎlǐ dōu cuò le.

B   我觉得你变了，내가 싫증 난 거야?⁰⁵⁵⁹
        Wǒ juéde nǐ biàn le,

A   老王，우리 헤어지자.⁰⁵⁶⁶
        Lǎo Wáng,

B   怎么了? 怎么突然说分手?
        Zěnme le?   Zěnme tūrán shuō fēnshǒu?

A   우리 둘 다 변한 거 같지 않아?⁰⁵⁶³

B   到底哪里变了?
        Dàodǐ nǎlǐ biàn le?

A 자기야, 내가 잘못했어. 화 풀어, 응?

B **错哪儿了?** 0556
Cuò nǎr le?

A 뭐든 다 잘못했어.

B 난 네가 변한 것 같아, **你厌烦我了吗?** 0559
nǐ yànfán wǒ le ma?

A 라오왕, **我们分手吧。** 0566
wǒmen fēnshǒu ba.

B 왜 그래? 왜 갑자기 헤어지자는 거야?

A **你不觉得我们都变了吗?** 0563
Nǐ bù juéde wǒmen dōu biàn le ma?

B 도대체 어디가 변했다는 건데?

A 今天陪我一起喝酒吧。 나 차였다.[0576]
Jīntiān péi wǒ yìqǐ hē jiǔ ba.

B 什么？你分手了？
Shénme? Nǐ fēnshǒu le?

A 对，나 또 솔로로 돌아왔어.[0581]
Duì,

B 走吧，我陪你喝到底。
Zǒu ba, wǒ péi nǐ hē dàodǐ.

- **到底** dàodǐ 끝까지 ~하다

A 又青，我爱你。 我想一辈子都跟你过日子。
Yòuqīng, wǒ ài nǐ.　　Wǒ xiǎng yíbèizi dōu gēn nǐ guòrìzi.

B 你是真心的吗？
Nǐ shì zhēnxīn de ma?

A 我是真心的。 나랑 결혼해 줄래?[0592]
Wǒ shì zhēnxīn de.

B 예스 아이 두.[0600]

A 오늘 나랑 같이 술 마셔 줘. **我被甩了。** 0576
   Wǒ bèi shuǎi le.

B 뭐? 너 헤어졌어?

A 그래, **我又恢复单身了。** 0581
   wǒ yòu huīfù dānshēn le.

B 가자, 내가 너랑 끝까지 마셔 준다.

A 요칭, 사랑해. 나 평생 너와 함께 살고 싶어.

B 진심이야?

A 나 진심이야. **你愿意嫁给我吗?** 0592
   Nǐ yuànyì jià gěi wǒ ma?

B **我愿意。** 0600
   Wǒ yuànyì.

네이티브가
개인 신상을 말할 때
자주 쓰는 표현 100

Part 7 전체 듣기

중국인과 처음 만나면
어떤 이야기들을 가장 많이 하게 될까요?
바로 자기소개에 대한 이야기 아닐까요?
이름, 나이, 직업, 혈액형, 별자리, 종교, 주량 등등
하고 싶은 말은 많은데 막막했다면
이번 파트를 주목해 주세요!
중국인과 한층 더 가까워질 수 있도록
개인 신상과 관련된 표현들을 쭉 담았습니다.

0601

我叫汤唯。
Wǒ jiào Tāng Wéi.

0602

我的名字叫汤唯。
Wǒ de míngzi jiào Tāng Wéi.

0603

我的名字是爸爸起的。
Wǒ de míngzi shì bàba qǐ de.

起(名) qǐ(míng) (이름을) 짓다

0604

我的外号是包子。
Wǒ de wàihào shì bāozi.

外号 wàihào 별명

0605

我改名了。
Wǒ gǎimíng le.

改名 gǎimíng 개명하다, 이름을 바꾸다

0601 □ □ □

가장 간단한 표현

난 탕웨이라고 해.

0602 □ □ □

조금 길게 표현하기

내 이름은 탕웨이야.

0603 □ □ □

이름 지어 준 사람을 소개할 때

내 이름은 아빠가 지어 주셨어.

0604 □ □ □

통통한 얼굴의 흔한 별명

내 별명은 만두야.

0605 □ □ □

이름을 바꾼 경우

나 개명했어.

0606

我今年二十岁。

Wǒ jīnnián èrshí suì.

0607

我今年才二十岁。

Wǒ jīnnián cái èrshí suì.

0608

我今年已经二十岁了。

Wǒ jīnnián yǐjīng èrshí suì le.

0609

一晃就三十岁了。

Yìhuǎng jiù sānshí suì le.

一晃 yìhuǎng 어느덧, 순식간에, 눈 깜짝할 사이에

0610

正是如花的年龄。

Zhèngshì rúhuā de niánlíng.

正是 zhèngshì 바로 ~이다 | 如花 rúhuā 꽃과 같다, 꽃처럼 아름답다

0606 □ □ □

올해 나이 이야기할 때

나 스무 살이야.

0607 □ □ □

아직 어리다는 걸 어필하고 싶을 때

나 올해 스무 살밖에 안 됐어.

0608 □ □ □

벌써 이 나이가 되었다는 걸 어필하고 싶을 때

나 올해 벌써 스무 살이야.

0609 □ □ □

세월이 참 빠르다는 뉘앙스를 담아

눈 깜짝할 새 서른이 됐다.

0610 □ □ □

우리는 언제나 꽃다운 나이

한창 꽃다운 나이지.

0611~0615.mp3

0611

☐ ☐ ☐

我是八零后。
Wǒ shì bālínghòu.

八零后 bālínghòu 1980년대에 태어난 세대

0612

☐ ☐ ☐

我是三月份出生的。
Wǒ shì sānyuè fèn chūshēng de.

0613

☐ ☐ ☐

我过农历生日。
Wǒ guò nónglì shēngrì.

过生日 guòshēngrì 생일을 지내다 ｜ 农历 nónglì 음력

0614

☐ ☐ ☐

我属鼠。
Wǒ shǔ shǔ.

属 shǔ ~에 속하다, ~띠이다

0615

☐ ☐ ☐

你属什么?
Nǐ shǔ shénme?

0611 □ □ □

90년대생은 '九零后'

난 80년대생이야.

0612 □ □ □

태어난 달을 말할 때

난 3월생이야.

0613 □ □ □

양력으로 챙기는 사람은 '阳历'

난 음력으로 생일 챙겨.

0614 □ □ □

띠를 말할 때

난 쥐띠야.

0615 □ □ □

상대방에게 띠 물어보기

넌 무슨 띠야?

0616

我是独生女(独生子)。

Wǒ shì dúshēngnǚ(dúshēngzǐ).

独生女 dúshēngnǚ 외동딸 | 独生子 dúshēngzǐ 외동아들

0617

我是家里老大。

Wǒ shì jiāli lǎodà.

老大 lǎodà 맏이, 첫째

0618

我是爷爷奶奶带大的。

Wǒ shì yéye nǎinai dàidà de.

带大 dàidà 데리고 키우다, ~손에서 자라다

0619

都说我长得像妈妈。

Dōu shuō wǒ zhǎng de xiàng māma.

0620

我是典型的宅女(宅男)。

Wǒ shì diǎnxíng de zháinǚ(zháinán).

典型 diǎnxíng 전형적 | 宅女 zháinǚ 집순이

0616

형제자매가 없을 때

난 외동딸(외동아들)이야.

0617

집에서 첫째일 때

난 집에서 맏이야.

0618

어릴 때 할아버지·할머니 손에 자란 경우

난 할아버지, 할머니 손에 컸어.

0619

누굴 닮았는지 이야기할 때

다들 난 엄마를 닮았대.

0620

여가 시간을 대부분 집에서 보내는 사람

난 전형적인 집순이(집돌이).

🔊 0621~0625.mp3

 0621

☐ ☐ ☐

我的性格偏于内向。

Wǒ de xìnggé piānyú nèixiàng.

偏于 piānyú ~에 치우치다 | 内向 nèixiàng 내성적, 내향적

 0622

☐ ☐ ☐

我的性格很开朗。

Wǒ de xìnggé hěn kāilǎng.

开朗 kāilǎng 명랑하다, 낙관적이다

 0623

☐ ☐ ☐

我的性格太消极了。

Wǒ de xìnggé tài xiāojí le.

消极 xiāojí 소극적이다, 의기소침하다

 0624

☐ ☐ ☐

我乐于助人。

Wǒ lèyú zhùrén.

乐于助人 lèyú zhùrén 다른 사람을 기꺼이 돕다

 0625

☐ ☐ ☐

我有幽默感。

Wǒ yǒu yōumògǎn.

幽默感 yōumògǎn 유머 감각

0621

외향적일 땐 '外向'

내향적인 편이야.

0622

쾌활하고 명랑하고 밝은 사람

활달한 성격이야.

0623

적극적일 땐 '积极'

너무 소극적이야.

0624

이타심, 배려심, 봉사 정신 있는 사람

다른 사람 돕는 걸 좋아해.

0625

유머 감각 있는 사람

유머러스해.

0626

我比较保守。

Wǒ bǐjiào bǎoshǒu.

保守 bǎoshǒu 보수적이다

0627

我处事乐观。

Wǒ chǔshì lèguān.

处事 chǔshì 일을 처리하다 | 乐观 lèguān 낙관적, 긍정적

0628

我适应力强。

Wǒ shìyìnglì qiáng.

适应力 shìyìnglì 적응력

0629

我独立性强。

Wǒ dúlìxìng qiáng.

独立性 dúlìxìng 독립성

0630

我有上进心。

Wǒ yǒu shàngjìnxīn.

上进心 shàngjìnxīn 진취성, 성취욕

0626

개방적일 땐 '开放'

좀 보수적이야.

0627

비관적일 땐 '悲观'

매사에 낙관적이야.

0628

어느 환경에서든 잘 녹아 드는 사람

적응력이 뛰어나.

0629

의존성이 강할 땐 '依赖性'

독립심이 강해.

0630

성취욕이 강한 사람

진취적이야.

🔊 0631~0635.mp3

0631 □ □ □

我现在是待业青年。

Wǒ xiànzài shì dàiyè qīngnián.

待业 dàiyè 취직을 기다리다 | 青年 qīngnián 청년, 젊은이

0632 □ □ □

我开始做兼职了。

Wǒ kāishǐ zuò jiānzhí le.

兼职 jiānzhí 겸직(하다)

0633 □ □ □

我想找一个铁饭碗。

Wǒ xiǎng zhǎo yí ge tiěfànwǎn.

铁饭碗 tiěfànwǎn 철밥통, 평생 직업

0634 □ □ □

我是一个职场新人。

Wǒ shì yí ge zhíchǎng xīnrén.

职场 zhíchǎng 직장 | 新人 xīnrén 신입 사원, 새내기

0635 □ □ □

我是一个自由职业者。

Wǒ shì yí ge zìyóuzhíyèzhě.

自由职业者 zìyóuzhíyèzhě 자유직업자, 프리랜서

79

0631

중국어로는 '취업을 기다리는 청년'

난 지금 취준생이야.

0632

본업 외에 다른 일을 겸하는 경우

나 투잡 시작했어.

0633

중국에서도 공무원은 '철밥통'으로 통해요

평생 직업을 갖고 싶어.

0634

〈미생〉의 장그래

난 신입 사원이야.

0635

소속 없이 자유롭게 일하는 사람

난 프리랜서야.

0636

我个子矮腿短。

Wǒ gèzi ǎi tuǐ duǎn.

个子 gèzi 키 | 矮 ǎi (키가) 작다 | 短 duǎn 짧다

0637

我个子不算高。

Wǒ gèzi búsuàn gāo.

不算 búsuàn ~이라고 할 수 없다, ~한 편은 아니다

0638

我个子到他肩膀处。

Wǒ gèzi dào tā jiānbǎng chù.

肩膀 jiānbǎng 어깨 | 处 chù 곳, 부분

0639

我个子有一米七。

Wǒ gèzi yǒu yì mǐ qī.

米 mǐ 미터(meter)

0640

我个子在同龄人中算高的。

Wǒ gèzi zài tónglíngrén zhōng suàn gāo de.

同龄人 tónglíngrén 동갑, 같은 또래

81

0636

키 크고 다리도 길다면 '个子高腿长'

난 키 작고 다리도 짧아.

0637

큰 편/작은 편으로 키를 말할 때

난 키가 큰 편은 아냐.

0638

다른 사람에 빗대어 키를 말할 때

내 키는 그 사람 어깨 정도야.

0639

정확한 숫자로 키를 말할 때

내 키는 170cm야.

0640

또래와 비교하여 키를 말할 때

난 또래 사이에선 키가 큰 편이야.

0641

穿衣显瘦，脱衣有肉。

Chuānyī xiǎn shòu, tuōyī yǒu ròu.

显 xiǎn 드러나다, 보이다 | 脱衣 tuōyī 옷을 벗다

0642

都说我脸胖嘟嘟的。

Dōu shuō wǒ liǎn pàngdūdū de.

胖嘟嘟 pàngdūdū 포동포동하다, 오동통하다

0643

最近啤酒肚都出来了。

Zuìjìn píjiǔdù dōu chūlái le.

啤酒肚 píjiǔdù 맥주배, 술배, 뚱뚱한 배

0644

小腿很苗条，大腿却很粗。

Xiǎotuǐ hěn miáotiao, dàtuǐ què hěn cū.

小腿 xiǎotuǐ 종아리 | 苗条 miáotiao 날씬하다 | 大腿 dàtuǐ 허벅지 | 粗 cū 굵다

0645

曾经我也是S型。

Céngjīng wǒ yě shì Sxíng.

型 xíng 모양, 타입

83

0641

마른 사람들이 늘 하는 말

옷 입으면 말라 보이는데,
벗으면 살이야.

0642

귀엽게 살찐 모습을 표현할 때

다들 내 얼굴이 오동통하대.

0643

중국에서는 '똥배'를 '맥주배'로 표현해요

요즘 뱃살까지 나왔어.

0644

날씬한 부위와 뚱뚱한 부위 표현할 때

종아리는 날씬한데, 허벅지가 두꺼워.

0645

왕년에는 못난 사람 하나 없다지요

왕년엔 나도 S라인이었지.

0646~0650.mp3

你是什么血型?

Nǐ shì shénme xuèxíng?

血型 xuèxíng 혈액형

你看我像什么血型?

Nǐ kàn wǒ xiàng shénme xuèxíng?

你是什么星座?

Nǐ shì shénme xīngzuò?

星座 xīngzuò 별자리

我喜欢看星座运势。

Wǒ xǐhuan kàn xīngzuò yùnshì.

运势 yùnshi 운세

我不信星座什么的。

Wǒ bú xìn xīngzuò shénmede.

什么的 shénmede ~등등, ~같은 것

0646 □ □ □

A형/B형/O형/AB형으로 대답하기

넌 혈액형이 뭐야?

0647 □ □ □

나는 어떤 혈액형처럼 보일까

내 혈액형이 뭐일 것 같아?

0648 □ □ □

중국 친구들이 자주 묻는 질문

넌 무슨 별자리야?

0649 □ □ □

중국 친구들은 별자리 성격·운세 등에 관심이 많아요

난 별자리 운세를 즐겨 봐.

0650 □ □ □

재미 삼아 보고 적당히 믿는 게 최고

난 별자리 같은 거 안 믿어.

**망각방지
장 치 1**

하루만 지나도 학습한 내용의 50%가 머릿속에서 도망가 버린다는 사실! 과연 여러분은? 5분 안에 아래의 25개를 말해 보세요. 아침에 한 번 했다면, 저녁에 또 한 번!

○ ✕ 복습

01	내 이름은 아빠가 지어 주셨어.	我的名字是爸爸	的。	☐ ☐	0603
02	내 별명은 만두야.	我的	是包子。	☐ ☐	0604
03	나 올해 스무 살밖에 안 됐어.	我今年	二十岁。	☐ ☐	0607
04	눈 깜짝할 새 서른이 됐다.		就三十岁了。	☐ ☐	0609
05	한창 꽃다운 나이지.	正是	的年龄。	☐ ☐	0610
06	난 80년대생이야.	我是	。	☐ ☐	0611
07	넌 무슨 띠야?	你	什么?	☐ ☐	0615
08	난 집에서 맏이야.	我是家里	。	☐ ☐	0617
09	난 할아버지, 할머니 손에 컸어.	我是爷爷奶奶	的。	☐ ☐	0618
10	난 전형적인 집순이.	我是典型的	。	☐ ☐	0620
11	활달한 성격이야.	我的性格很	。	☐ ☐	0622
12	너무 소극적이야.	我的性格太	了。	☐ ☐	0623
13	매사에 낙관적이야.	我处事	。	☐ ☐	0627

정답 01 起 02 外号 03 才 04 一晃 05 如花 06 八零后 07 属 08 老大 09 带大 10 宅女 11 开朗
12 消极 13 乐观

14	독립심이 강해.	我独立性	。	☐	☐	0629
15	진취적이야.	我有	。	☐	☐	0630
16	난 지금 취준생이야.	我现在是	青年。	☐	☐	0631
17	평생 직업을 갖고 싶어.	我想找一个	。	☐	☐	0633
18	난 프리랜서야.	我是一个	职业者。	☐	☐	0635
19	난 키 작고 다리도 짧아.	我个子	腿短。	☐	☐	0636
20	난 키가 큰 편은 아냐.	我个子	高。	☐	☐	0637
21	난 또래 사이에선 키가 큰 편이야.	我个子在	中算高的。	☐	☐	0640
22	다들 내 얼굴이 오동통하대.	都说我脸	的。	☐	☐	0642
23	요즘 뱃살까지 나왔어.	最近	都出来了。	☐	☐	0643
24	넌 혈액형이 뭐야?	你是什么	?	☐	☐	0646
25	난 별자리 운세를 즐겨 봐.	我喜欢看星座	。	☐	☐	0649

맞은 개수: 25개 중 _____ 개

당신은 그동안 _____%를 잊어버렸습니다.
틀린 문장들은 다시 한번 보고 넘어가세요.

정답 14 强 15 上进心 16 待业 17 铁饭碗 18 自由 19 矮 20 不算 21 同龄人 22 胖嘟嘟
23 啤酒肚 24 血型 25 运势

0651~0655.mp3

0651

☐ ☐ ☐

我是已婚妇女。
Wǒ shì yǐhūn fùnǚ.

已婚 yǐhūn 기혼 | **妇女** fùnǚ 부녀자, 성인 여성

0652

☐ ☐ ☐

我是未婚女性（男性）。
Wǒ shì wèihūn nǚxìng(nánxìng).

未婚 wèihūn 미혼

0653

☐ ☐ ☐

我是独身主义者。
Wǒ shì dúshēn zhǔyìzhě.

独身主义 dúshēn zhǔyì 독신주의

0654

☐ ☐ ☐

我还没有对象。
Wǒ hái méiyǒu duìxiàng.

对象 duìxiàng (연애나 결혼의) 상대

0655

☐ ☐ ☐

暂时没有结婚计划。
Zànshí méiyǒu jiéhūn jìhuà.

暂时 zànshí 잠시, 잠깐 | **结婚** jiéhūn 결혼하다 | **计划** jìhuà 계획, 방안

89

0651

유부남이라면 '已婚妇男'

전 유부녀예요.

0652

아직 결혼을 안 했을 경우

전 미혼 여성(남성)이에요.

0653

화려한 싱글라이프를 꿈꾸는 경우

전 독신주의자예요.

0654

걱정 마요, 생겨요

아직 애인이 없어요.

0655

아직 결혼 생각이 없을 때

당분간 결혼 계획 없어요.

0656~0660.mp3

0656

☐ ☐ ☐

你有宗教吗?

Nǐ yǒu zōngjiào ma?

宗教 zōngjiào 종교

0657

☐ ☐ ☐

我信佛。

Wǒ xìn Fó.

佛 Fó 불교(＝佛教)

0658

☐ ☐ ☐

我信天主教。

Wǒ xìn Tiānzhǔjiào.

天主教 Tiānzhǔjiào 천주교

0659

☐ ☐ ☐

我是基督徒。

Wǒ shì Jīdūtú.

基督徒 Jīdūtú 기독교인, 크리스천

0660

☐ ☐ ☐

我什么都不信。

Wǒ shénme dōu bú xìn.

91

0656 ☐ ☐ ☐

종교를 가진 중국인도 꽤 있어요

너 종교 있어?

0657 ☐ ☐ ☐

'南无阿弥陀佛(나무아미타불)'

난 불교야.

0658 ☐ ☐ ☐

'阿门(아멘)'

난 천주교야.

0659 ☐ ☐ ☐

'~교인'으로 표현할 때

난 기독교인이야.

0660 ☐ ☐ ☐

'没有宗教(종교가 없다)'로도 표현해요

난 아무것도 안 믿어.

0661

我有恐高症。

Wǒ yǒu kǒnggāozhèng.

恐高症 kǒnggāozhèng 고소 공포증

0662

我健忘症真的很严重。

Wǒ jiànwàngzhèng zhēnde hěn yánzhòng.

健忘症 jiànwàngzhèng 건망증

0663

我对海鲜过敏。

Wǒ duì hǎixiān guòmǐn.

对~过敏 duì~guòmǐn ~에 예민하다. 알레르기가 있다

0664

我的洁癖症又犯了。

Wǒ de jiépǐzhèng yòu fàn le.

洁癖症 jiépǐzhèng 결벽증 | 犯 fàn (주로 안 좋은 일이) 발생하다

0665

感觉要得忧郁症了。

Gǎnjué yào dé yōuyùzhèng le.

得 dé (병을) 얻다, 앓다 | 忧郁症 yōuyùzhèng 우울증

0661

갖고 있는 증세가 있을 때

나 고소 공포증 있어.

0662

증세가 심각함을 표현할 때

나 건망증 진짜 심각해.

0663

알레르기가 있는 경우

나 해산물 알레르기 있어.

0664

툭하면 도지는 증세를 표현할 때

결벽증 또 도졌어.

0665

우울증에 걸릴 듯 답답할 때

우울증 걸릴 것 같아.

10 | 이런저런 증세

0666

我果然是路痴。

Wǒ guǒrán shì lùchī.

路痴 lùchī 길치

0667

我得了密集恐惧症。

Wǒ déle mìjí kǒngjùzhèng.

密集 mìjí 밀집하다, 빽빽하다 | 恐惧症 kǒngjùzhèng 공포증

0668

选择困难症越来越严重。

Xuǎnzé kùnnánzhèng yuèláiyuè yánzhòng.

选择困难症 xuǎnzé kùnnánzhèng 선택을 쉽게 하지 못하는 증세 | 越来越 yuèláiyuè 더욱더, 갈수록

0669

拖延症晚期了。

Tuōyánzhèng wǎnqī le.

拖延 tuōyán 연기하다, 늦추다 | 晚期 wǎnqī 말기

0670

看来我真是个完美主义者。

Kànlái wǒ zhēnshi ge wánměi zhǔyìzhě.

看来 kànlái 보아하니 | 完美主义者 wánměi zhǔyìzhě 완벽주의자

0666

길 찾기에 감각이 없는 경우

난 역시 길치야.

0667

없던 증세가 생겼음을 표현할 때

나 환공포증 생겼어.

0668

날이 갈수록 심해지는 증세를 표현할 때

결정 장애가 갈수록 심해지네.

0669

할 일 미루기를 밥 먹듯 할 때

미루기병 말기다.

0670

뭐든 완벽하게 해야 성에 찰 때

나 진짜 완벽주의자인가 봐.

0671~0675.mp3

0671

我酒量真差。
Wǒ jiǔliàng zhēn chà.

酒量 jiǔliàng 주량 | 差 chà 나쁘다, 좋지 않다

0672

喝了一点点就已经迷糊了。
Hēle yìdiǎndiǎn jiù yǐjīng míhu le.

一点点 yìdiǎndiǎn 아주 조금 | 迷糊 míhu 혼미하다, 정신이 없다

0673

喝一杯酒就脸红了。
Hē yì bēi jiǔ jiù liǎnhóng le.

脸红 liǎnhóng 얼굴이 빨개지다

0674

一喝酒就断片儿。
Yì hē jiǔ jiù duànpiānr.

一…就~ yī…jiù~ …하기만 하면 ~하다 | 断片儿 duànpiānr 필름이 끊어지다

0675

我酒量下降了。
Wǒ jiǔliàng xiàjiàng le.

下降 xiàjiàng 떨어지다, 줄어들다

0671

☐ ☐ ☐

몇 모금만 마셔도 취할 때

내 주량은 진짜 형편없어.

0672

☐ ☐ ☐

조금만 마셔도 머리가 빙빙 돌 때

조금만 마셔도 정신 못 차려.

0673

☐ ☐ ☐

이런 사람은 술 마시면 안 좋죠

한 잔만 마셔도 얼굴이 빨개져.

0674

☐ ☐ ☐

술 취할 때마다 기억이 안 나는 경우

술만 마시면 필름이 끊겨.

0675

☐ ☐ ☐

술도, 중국어도 자꾸 접해야 늘어요

주량이 줄었어.

0676~0680.mp3

0676

我是个酒鬼。
Wǒ shì ge jiǔguǐ.

酒鬼 jiǔguǐ 술고래, 술꾼

0677

怎么喝也喝不醉。
Zěnme hē yě hē bú zuì.

醉 zuì 취하다

0678

酒量日益见长。
Jiǔliàng rìyì jiànzhǎng.

日益 rìyì 날로, 나날이 | 见长 jiànzhǎng (이전보다 눈에 띄게) 성장하다, 자라다

0679

真讨厌耍酒疯的人。
Zhēn tǎoyàn shuǎjiǔfēng de rén.

耍酒疯 shuǎjiǔfēng 술주정을 하다

0680

从今天开始我要戒酒。
Cóng jīntiān kāishǐ wǒ yào jièjiǔ.

戒酒 jièjiǔ 술을 끊다

0676

스스로 술꾼임을 인정할 때

난 술고래야.

0677

기분 좋은 날은

아무리 마셔도 안 취해.

0678

나날이 술이 세질 때

주량이 날로 늘어 가네.

0679

술을 곱게 마셔야 진정한 애주가

술주정하는 사람 정말 싫어.

0680

일단 내지르고 보는 금주 선언

오늘부터 나 술 끊는다.

0681~0685.mp3

12 | 발씨 안녕하셨나요

0681

我是典型的晨型人。

Wǒ shì diǎnxíng de chénxíngrén.

晨型人 chénxíngrén 아침형 인간

0682

我是夜猫子。

Wǒ shì yèmāozi.

夜猫子 yèmāozi 올빼미, 야행성인 사람

0683

我得了失眠症。

Wǒ déle shīmiánzhèng.

失眠症 shīmiánzhèng 불면증

0684

我睡觉总是说梦话。

Wǒ shuìjiào zǒngshì shuōmènghuà.

说梦话 shuōmènghuà 잠꼬대하다

0685

我睡觉打呼噜打得很严重。

Wǒ shuìjiào dǎhūlu dǎ de hěn yánzhòng.

打呼噜 dǎhūlu 코를 골다

0681

새벽 시간을 즐길 줄 아는 사람

난 전형적인 아침형 인간.

0682

중국에서도 '올빼미'로 표현해요

난 야행성이야.

0683

밤마다 잠 못 이루는 괴로움

나 불면증 걸렸어.

0684

잠결에 중얼거리는 사람

난 잠꼬대를 잘해.

0685

코골이 수술이 시급한 사람

난 코를 심하게 골아.

🎧 0686~0690.mp3

我开始吃素了。
Wǒ kāishǐ chīsù le.

吃素 chīsù 채식하다

一天不吃肉就不行。
Yìtiān bù chī ròu jiù bùxíng.

我不喜欢吃零食。
Wǒ bù xǐhuan chī língshí.

零食 língshí 간식, 군것질

我挑食很严重。
Wǒ tiāoshí hěn yánzhòng.

挑食 tiāoshí 편식하다, 음식을 가리다

我口重。
Wǒ kǒuzhòng.

口重 kǒuzhòng 짜게 먹는 것을 좋아하다

103

0686

고기느님과 잠시 이별을 고했을 때

나 채식 시작했어.

0687

결국 고기느님을 버리지 못할 때

하루도 고기 없인 안 돼.

0688

삼시 세끼만 알차게 챙겨 먹는 경우

간식을 잘 안 먹어.

0689

좋아하는 것만 골라 먹는 사람

난 편식이 심해.

0690

싱겁게 먹는 경우는 '口轻'

난 짜게 먹어.

🔊 0691~0695.mp3

0691

最近在坚持每天吃早餐。
Zuìjìn zài jiānchí měitiān chī zǎocān.

坚持 jiānchí 단호하게 지키다, 유지하다 | 早餐 zǎocān 아침밥

0692

要戒掉油炸食品。
Yào jièdiào yóuzhá shípǐn.

戒掉 jièdiào 끊다 | 油炸食品 yóuzhá shípǐn 튀김류, 튀긴 음식

0693

我不吃垃圾食品。
Wǒ bù chī lājī shípǐn.

垃圾食品 lājī shípǐn 정크푸드(패스트푸드, 인스턴트식품)

0694

晚上禁止吃夜宵。
Wǎnshang jìnzhǐ chī yèxiāo.

禁止 jìnzhǐ 금지하다 | 夜宵 yèxiāo 밤참, 야식

0695

吃饭要吃七分饱。
Chīfàn yào chī qī fēn bǎo.

分 fēn 10분의 1, 할 | 饱 bǎo 배부르다

0691

□ □ □

아침 식사는 황제처럼!

요즘 매일 아침밥 먹으려고 노력 중이야.

0692

□ □ □

끊고 싶은 음식이 있을 때

기름진 음식 끊자.

0693

□ □ □

중국에서는 '쓰레기 식품'으로 표현해요

난 정크푸드 안 먹어.

0694

□ □ □

뿌리치기 힘든 야식의 유혹

저녁에 야식 금지.

0695

□ □ □

중국의 전통적인 건강법

밥은 70% 배부를 정도만 먹기.

🎧 0696~0700.mp3

0696

好好学习，天天向上。
Hǎohǎo xuéxí, tiāntiān xiàngshàng.

好好 hǎohǎo 충분히, 잘 | 向上 xiàngshàng 발전하다, 향상하다

0697

不怕慢，只怕站。
Bú pà màn, zhǐ pà zhàn.

慢 màn 느리다, 나태하다 | 站 zhàn 멈추다, 정지하다

0698

有志者事竟成。
Yǒuzhìzhě shì jìng chéng.

有志 yǒuzhì 어떤 일에 뜻이 있다 | 者 zhě ~한 자 | 竟 jìng 결국, 마침내

0699

只要不放弃就会有机会。
Zhǐyào bú fàngqì jiù huì yǒu jīhuì.

放弃 fàngqì 포기하다

0700

严以律己，宽以待人。
Yányǐ lǜjǐ, kuānyǐ dàirén.

严以律己 yányǐ lǜjǐ 자신을 엄하게 다스리다 | 宽以待人 kuānyǐ dàirén 너그럽게 대하다

0696 ☐ ☐ ☐

공부와 관련해 중국인들이 잘 쓰는 말

열심히 공부하면, 실력이 쑥쑥!

0697 ☐ ☐ ☐

느릴지언정 포기하지 않기

느림을 두려워 말고,
멈춤을 두려워하라.

0698 ☐ ☐ ☐

뜻이 있는 곳에 길이 있다

의지만 있으면 못 해낼 일이 없다.

0699 ☐ ☐ ☐

포기하지 말고 끝까지 해볼 것

포기하지 않는 한, 기회는 있다.

0700 ☐ ☐ ☐

중국의 정치가인 '저우언라이(周恩来, 주은래)'가 한 말

자신에겐 엄격하게, 타인에겐 너그럽게.

망각방지 장치 1

하루만 지나도 학습한 내용의 50%가 머릿속에서 도망가 버린다는 사실! 과연 여러분은? 5분 안에 아래의 25개를 말해 보세요. 아침에 한 번 했다면, 저녁에 또 한 번!

○ ✕ 복습

01 전 유부녀예요. 　我是　　　　　　　妇女。☐ ☐ `0651`

02 아직 애인이 없어요. 　我还没有 　。☐ ☐ `0654`

03 당분간 결혼 계획 없어요. 　　　　没有结婚计划。☐ ☐ `0655`

04 난 천주교야. 　我信 　。☐ ☐ `0658`

05 난 기독교인이야. 　我是 　。☐ ☐ `0659`

06 나 고소 공포증 있어. 　我有　　　　　　症。☐ ☐ `0661`

07 나 해산물 알레르기 있어. 　我对海鲜 　。☐ ☐ `0663`

08 결벽증 또 도졌어. 　我的洁癖症又 　了。☐ ☐ `0664`

09 난 역시 길치야. 　我果然是 　。☐ ☐ `0666`

10 나 환공포증 생겼어. 　我 　了密集恐惧症。☐ ☐ `0667`

11 미루기병 말기다. 　拖延症 　了。☐ ☐ `0669`

12 내 주량은 진짜 형편없어. 我酒量真 　。☐ ☐ `0671`

13 술만 마시면 필름이 끊겨. 一喝酒就 　。☐ ☐ `0674`

정답 01 已婚　02 对象　03 暂时　04 天主教　05 基督徒　06 恐高　07 过敏　08 犯　09 路痴　10 得
11 晚期　12 差　13 断片儿

109

				○	✕	복습

14 난 술고래야.   我是个   。 ☐ ☐ `0676`

15 술주정하는 사람 정말 싫어.   真讨厌要   的人。 ☐ ☐ `0679`

16 난 전형적인 아침형 인간.   我是典型的   人。 ☐ ☐ `0681`

17 난 야행성이야.   我是   。 ☐ ☐ `0682`

18 나 채식 시작했어.   我开始   了。 ☐ ☐ `0686`

19 난 편식이 심해.   我   很严重。 ☐ ☐ `0689`

20 난 짜게 먹어.   我口   。 ☐ ☐ `0690`

21 난 정크푸드 안 먹어.   我不吃   食品。 ☐ ☐ `0693`

22 저녁에 야식 금지.   晚上   吃夜宵。 ☐ ☐ `0694`

23 느림을 두려워 말고, 멈춤을 두려워하라.   不怕慢, 只怕   。 ☐ ☐ `0697`

24 의지만 있으면 못 해낼 일이 없다.   者事竟成。 ☐ ☐ `0698`

25 자신에겐 엄격하게, 타인에겐 너그럽게.   以律己，宽以待人。 ☐ ☐ `0700`

맞은 개수: **25개 중** _____ **개**

당신은 그동안 _____ %를 잊어버렸습니다.
틀린 문장들은 다시 한번 보고 넘어가세요.

---

061 상대방을 처음 만났을 때   🎧 huihua 061.mp3

A 您好，初次见面。전 탕웨이라고 해요.⁰⁶⁰¹
Nín hǎo, chūcì jiànmiàn.

B 您好，见到您很高兴。제 이름은 판빙빙입니다.⁰⁶⁰²
Nín hǎo, jiàndào nín hěn gāoxìng

A 怎么称呼您?
Zěnme chēnghū nín?

B 叫我冰冰就好了。
Jiào wǒ Bīngbīng jiù hǎo le.

- -

• **称呼** chēnghū ~라고 부르다, 호칭하다

062 서른 살이 됐다고 기운 빠져 있는 친구에게   🎧 huihua 062.mp3

A 啊，时间过得真快。
À, shíjiān guò de zhēn kuài.

B 对啊，눈 깜짝할 새 서른이 됐네.⁰⁶⁰⁹
Duì a,

A 三十岁又怎么样? 한창 꽃다운 나이지.⁰⁶¹⁰
Sānshí suì yòu zěnmeyàng?

B 哈哈，你说得对!
Hāhā, nǐ shuō de duì!

- -

• **又怎么样** yòu zěnmeyàng 뭐 어때?

061

A 안녕하세요, 처음 뵙겠습니다. **我叫汤唯。**0601
   Wǒ jiào Tāng wéi.

B 안녕하세요, 만나서 반가워요. **我的名字叫范冰冰。**0602
   Wǒ de míngzi jiào Fàn Bīngbīng.

A 어떻게 불러야 할까요?

B 빙빙이라고 불러 주시면 돼요.

A 아, 시간 진짜 빠르다.

B 맞아, **一晃就三十岁了。**0609
   yìhuǎng jiù sānshí suì le.

A 서른 살이 뭐 어때서? **正是如花的年龄。**0610
   Zhèngshì rúhuā de niánlíng.

B 하하, 네 말이 맞다!

🎧 huihua 063.mp3

A 你有姐姐吗?
  Nǐ yǒu jiějie ma?

B 没有, 난 외동딸이야. 0616 你呢?
  Méiyǒu,   Nǐ ne?

A 我有一个弟弟, 내가 집에서 맏이야. 0617
  Wǒ yǒu yí ge dìdi,

B 真羡慕你, 我也想要弟弟呢。
  Zhēn xiànmù nǐ, wǒ yě xiǎng yào dìdi ne.

🎧 huihua 064.mp3

A 好久不见, 你最近在忙什么?
  Hǎojiǔ bújiàn, nǐ zuìjìn zài máng shénme?

B 我觉得社会经验不足, 所以나 투잡 시작했어. 0632
  Wǒ juéde shèhuì jīngyàn bùzú, suǒyǐ

A 哇, 你好厉害。真진취적이야. 0630
  Wā, nǐ hǎo lìhai.   Zhēn

B 过奖了。
  Guòjiǎng le.

• 社会经验 shèhuì jīngyàn 사회 경험 不足 bùzú 부족하다, 충분하지 않다

113

A   너 언니 있어?

B   아니, **我是独生女。** 0616 넌?
     wǒ shì dúshēngnǚ.

A   난 남동생 하나 있어, **我是家里老大。** 0617
     wǒ shì jiāli lǎodà.

B   진짜 부럽다, 나도 남동생 갖고 싶은데.

A   오랜만이네, 요즘 뭐가 그렇게 바빠?

B   사회 경험이 부족한 것 같아서, **我开始做兼职了。** 0632
     wǒ kāishǐ zuò jiānzhí le.

A   와, 너 진짜 대단하다. 진짜 **有上进心。** 0630
     yǒu shàngjìnxīn.

B   과찬이야.

A　**我该减肥了，** 요즘 뱃살까지 나왔어. 0643
　　Wǒ gāi jiǎnféi le,

B　**太夸张了吧，你哪里有啤酒肚?**
　　Tài kuāzhāng le ba, nǐ nǎlǐ yǒu píjiǔdù?

A　옷 입으면 말라 보이는데, 0641 **脱衣有肉。**
　　　　　　　　　　　　　　　　　tuōyī yǒu ròu.

B　**得了吧。**
　　Déle ba.

A　**女儿，人家都结婚了，你到底有没有对象啊?**
　　Nǚ'ér, rénjiā dōu jiéhūn le, nǐ dàodǐ yǒu méiyǒu duìxiàng a?

B　저 아직 애인 없어요. 0654

A　**你怎么了? 不想结婚吗?**
　　Nǐ zěnme le?　Bù xiǎng jiéhūn ma?

B　**爸，不要再问了，** 당분간 결혼 계획 없어요. 0655
　　Bà, búyào zài wèn le,

A   나 다이어트해야겠다, **最近啤酒肚都出来了。** 0643
                zuìjìn píjiǔdù dōu chūlái le.

B   오버하네, 네가 뱃살이 어디 있어?

A   **穿衣显瘦,** 0641 벗으면 살이야.
       Chuānyī xiǎn shòu,

B   됐거든.

A   딸아, 다들 결혼하는데 넌 도대체 애인이 있는 거니,

      없는 거니?

B   **我还没有对象。** 0654
       Wǒ hái méiyǒu duìxiàng.

A   왜 그래? 결혼하기 싫은 거야?

B   아빠, 그만 좀 물어요, **暂时没有结婚计划。** 0655
                        zànshí méiyǒu jiéhūn jìhuà.

A 肚子好饿，你想吃什么？
Dùzi hǎo è, nǐ xiǎng chī shénme?

B 我们吃海鲜吧，附近有一家餐厅很好吃。
Wǒmen chī hǎixiān ba, fùjìn yǒu yì jiā cāntīng hěn hǎochī.

A 啊，不好意思，나 해산물 알레르기 있어.⁰⁶⁶³
Ā, bùhǎoyìsi,

B 那我们去吃面条吧!
Nà wǒmen qù chī miàntiáo ba!

- **附近** fùjìn 근처, 부근 **餐厅** cāntīng 식당 **面条** miàntiáo 국수, 면

A 我昨天喝酒喝多了，现在头晕恶心。
Wǒ zuótiān hē jiǔ hē duō le, xiànzài tóuyūn ěxīn.

B 我以为你很能喝酒。
Wǒ yǐwéi nǐ hěn néng hē jiǔ.

A 我酒量不行了，昨天你也喝多了吗？
Wǒ jiǔliàng bùxíng le, zuótiān nǐ yě hē duō le ma?

B 喝多了，可是我아무리 마셔도 안 취해.⁰⁶⁷⁷
Hē duō le, kěshì wǒ

- **头晕** tóuyūn 현기증이 나다, 머리가 어지럽다 **恶心** ěxīn 구역질이 나다, 속이 메스껍다

A 배고프다, 너 뭐 먹고 싶어?

B 우리 해물 먹자, 근처에 맛있는 식당 있어.

A 아, 미안해. **我对海鲜过敏。** 0663
　　Wǒ duì hǎixiān guòmǐn.

B 그럼 우리 국수 먹으러 가자!

A 나 어제 술 많이 마셔서, 지금 어지럽고 메스껍다.

B 난 너 술 잘 마시는 줄 알았어.

A 주량이 안 되네. 어제 너도 많이 마셨어?

B 많이 마셨지, 근데 난 **怎么喝也喝不醉。** 0677
　　zěnme hē yě hē bú zuì.

A 哇，这个羊肉串真好吃，你怎么不吃?
Wā, zhège yángròu chuàn zhēn hǎochī, nǐ zěnme bù chī?

B 나 채식 시작했어. 0686

A 真的吗? 真厉害，我 하루도 고기 없인 안 돼. 0687
Zhēnde ma? Zhēn lìhai, wǒ

B 我还戒掉了油炸食品。
Wǒ hái jièdiàole yóuzhá shípǐn.

- -

● **羊肉串** yángròu chuàn 양고기 꼬치 **戒掉** jièdiào 끊다. 끊어버리다

A 你觉得我可以吗?
Nǐ juéde wǒ kěyǐ ma?

B 当然可以啊，의지만 있으면 못 해낼 일이 없어! 0698
Dāngrán kěyǐ a,

A 其实我害怕失败。
Qíshí wǒ hàipà shībài.

B 你要记住这句话，느림을 두려워 말고, 0697 只怕站!
Nǐ yào jìzhù zhè jù huà,   zhǐ pà zhàn!

- -

● **失败** shībài 실패하다. 패배하다 **记住** jìzhù 기억해 두다. 명심하다

A 와, 이 양꼬치 진짜 맛있다. 넌 왜 안 먹어?

B **我开始吃素了。**⁰⁶⁸⁶
Wǒ kāishǐ chīsù le.

A 정말? 진짜 대단하다, 난 **一天不吃肉就不行。**⁰⁶⁸⁷
yìtiān bù chī ròu jiù bùxíng.

B 난 기름진 음식도 끊었어.

A 내가 할 수 있을까?

B 당연히 할 수 있지, **有志者事竟成!**⁰⁶⁹⁸
yǒuzhìzhě shì jìng chéng!

A 사실 난 실패가 두려워.

B 이 말 기억해, **不怕慢,**⁰⁶⁹⁷ 멈춤을 두려워하라!
bú pà màn,

네이티브가
취미·관심사를 말할 때
자주 쓰는 표현 100

Part 8 전체 듣기

서로의 관심사를 나누는 것만큼
관계를 돈독하게 만들어 주는 주제가 또 있을까요?
독서부터 요리, 사진, 음악, 쇼핑, 운동 등등
다양한 관심사에 대해 이야기를 나누다 보면
어느새 우리는 '친구'가 됩니다.
취미·관심사와 관련된 표현들을 활용해서
중국 지인들에게 나의 관심사를 마음껏 소개해 보세요!

🎧 0701~0705.mp3

0701 ☐ ☐ ☐

我喜欢看书。
Wǒ xǐhuan kànshū.

看书 kànshū 책을 보다, 독서하다

0702 ☐ ☐ ☐

我特别喜欢看小说。
Wǒ tèbié xǐhuan kàn xiǎoshuō.

小说 xiǎoshuō 소설

0703 ☐ ☐ ☐

我喜欢闻书的味道。
Wǒ xǐhuan wén shū de wèidao.

闻 wén 냄새를 맡다 | **味道** wèidao 냄새, 맛, 느낌

0704 ☐ ☐ ☐

我决定每周看一本书。
Wǒ juédìng měi zhōu kàn yì běn shū.

每周 měi zhōu 매주 | **本** běn 권(책을 세는 단위)

0705 ☐ ☐ ☐

我是文学少女!
Wǒ shì wénxué shàonǚ!

文学 wénxué 문학 | **少女** shàonǚ 소녀, 미혼의 젊은 여자

123

0701

독서가 취미인 사람

책 읽는 걸 좋아해.

0702

상상하며 읽으면 꿀잼

특히 소설책을 좋아해.

0703

책 냄새 좋아하는 분들 많죠

난 책 냄새가 좋아.

0704

새해 목표에 빠지지 않는 독서

매주 책 한 권씩 읽기로 결심했어.

0705

책 읽고 글 쓰기 좋아하는

나는 문학소녀!

01 | 독서

0706

□ □ □

最近开始用阅读器看书了。

Zuìjìn kāishǐ yòng yuèdúqì kànshū le.

阅读器 yuèdúqì 독서기, 리더(reader). 电子书阅读器(전자책 단말기)를 의미

0707

□ □ □

我喜欢看纸质书。

Wǒ xǐhuan kàn zhǐzhìshū.

纸质书 zhǐzhìshū 종이책

0708

□ □ □

喜欢买书，却不喜欢看书。

Xǐhuan mǎi shū, què bù xǐhuan kànshū.

0709

□ □ □

闲得没事就去书店。

Xián de méishì jiù qù shūdiàn.

闲 xián 일이 없다, 한가하다 | 没事 méishì 할 일이 없다 | 书店 shūdiàn 서점

0710

□ □ □

我想要一间小书房。

Wǒ xiǎng yào yì jiān xiǎo shūfáng.

间 jiān 칸(방을 세는 단위) | 书房 shūfáng 서재

125

0706

무엇보다 휴대가 편리한 게 장점

요즘 전자책 단말기로 책 읽기 시작했어.

0707

책 넘기는 맛은 역시 종이책

난 종이책으로 보는 게 좋아.

0708

읽는 속도가 사는 속도를 못 따라갑니다

책 사는 건 좋은데 읽는 건 싫어.

0709

서점 가기가 취미

한가하면 서점에 가.

0710

자신만의 서재는 만인의 로망

작은 서재를 갖고 싶어.

0711

你会做饭吗?

Nǐ huì zuòfàn ma?

做饭 zuòfàn 밥을 하다, 요리하다

0712

最拿手的菜是什么?

Zuì náshǒu de cài shì shénme?

拿手 náshǒu (어떤 기술에) 뛰어나다, 자신 있다

0713

我要学做菜了。

Wǒ yào xué zuòcài le.

做菜 zuòcài 요리하다

0714

我觉得我真有做菜的天分。

Wǒ juéde wǒ zhēn yǒu zuòcài de tiānfèn.

天分 tiānfèn 타고난 소질, 자질

0715

以后请叫我厨师。

Yǐhòu qǐng jiào wǒ chúshī.

以后 yǐhòu 앞으로, 나중에 | 厨师 chúshī 요리사, 셰프

127

0711

양심적으로 '라면 끓이기'는 빼고

너 요리할 줄 알아?

0712

요리가 특기인 사람에게

제일 자신 있는 음식이 뭐야?

0713

요리 학원 등록할 기세

나 요리 배울 거야.

0714

숨어 있던 소질을 발견했을 때

나 진짜 요리에 소질 있는 듯.

0715

내 요리에 감동했다면

앞으로 날 셰프라고 불러 줘.

0716

真心好吃到哭。
Zhēnxīn hǎochī dào kū.

到 dào (어느 정도에) 이르다

0717

好吃到停不下来。
Hǎochī dào tíngbuxiàlai.

停 tíng 멈추다, 중지하다 | 不下来 buxiàlai ~할 수 없다, ~할 수 없겠다

0718

好怀念家常菜。
Hǎo huáiniàn jiāchángcài.

怀念 huáiniàn 회상하다, 그리워하다 |
家常菜 jiāchángcài 가정에서 자주 먹는 음식, 즉 '가정식' 혹은 '집 밥'을 의미

0719

《拜托了冰箱》太好看了!
《Bàituōle Bīngxiāng》 tài hǎokàn le!

拜托 bàituō 부탁드리다 | 冰箱 bīngxiāng 냉장고 | 好看 hǎokàn (내용이) 재미있다, 즐겁다

0720

我好想学做面包。
Wǒ hǎo xiǎng xué zuò miànbāo.

做 zuò 만들다, 제작하다 | 面包 miànbāo 빵

0716

눈물 나도록 감동적인 맛

진심 눈물 나게 맛있다.

0717

자꾸만 손이 가는 맛

맛있어서 멈출 수가 없어.

0718

절대 흉내 낼 수 없는 엄마의 손맛

집 밥이 그리워.

0719

중국판도 꽤 인기 있대요

〈냉장고를 부탁해〉 너무 재밌어!

0720

제빵왕이 되고파

나 제빵 배우고 싶어.

0721

☐☐☐

无聊时，玩自拍。
Wúliáo shí, wán zìpāi.

无聊 wúliáo 지루하다, 심심하다 | 时 shí ~때(=的时候)

0722

☐☐☐

最近爱上了拍立得。
Zuìjìn àishàngle pāilìdé.

爱上 àishàng 사랑하게 되다, 좋아하게 되다 | 拍立得 pāilìdé 즉석카메라, 폴라로이드

0723

☐☐☐

摆个姿势吧。
Bǎi ge zīshì ba.

摆姿势 bǎizīshì 포즈를 취하다

0724

☐☐☐

不要总是剪刀手!
Búyào zǒngshì jiǎndāoshǒu!

剪刀手 jiǎndāoshǒu 가위 손, 손으로 만든 브이 자

0725

☐☐☐

狠下心买了一台相机。
Hěnxiàxīn mǎile yì tái xiàngjī.

狠下心 hěnxiàxīn 모질게 마음먹다 | 台 tái 대(기계, 차량을 세는 단위) | 相机 xiàngjī 카메라

0721

보정 어플로 만드는 새로운 나

심심할 땐, 셀카 놀이.

0722

찍으면(拍) 바로(立) 얻을 수(得) 있어서 '拍立得'

요즘 폴라로이드 사진에 빠졌어.

0723

사진 찍어 줄 때 하는 말

포즈 취해 봐.

0724

중국에서는 '剪刀手(가위 손)'로 표현해요

브이만 하지 말고!

0725

고가의 좋은 카메라를 샀을 때

독한 맘먹고 카메라 하나 샀어.

🎧 0726~0730.mp3

0726

神一样的拍照技术。
Shén yíyàng de pāizhào jìshù.

神 shén 신 | 一样 yíyàng ~와 같이(=似的) | 拍照 pāizhào 사진을 찍다 | 技术 jìshù 기술, 기교

0727

拍照时构图很重要。
Pāizhào shí gòutú hěn zhòngyào.

构图 gòutú 구도를 잡다

0728

我喜欢拍人物照。
Wǒ xǐhuan pāi rénwùzhào.

人物照 rénwùzhào 인물 사진

0729

求推荐好相机！
Qiú tuījiàn hǎo xiàngjī!

求 qiú 부탁하다, 찾다 | 推荐 tuījiàn 추천하다, 소개하다

0730

一定要记得带自拍杆！
Yídìng yào jìde dài zìpāigǎn!

自拍杆 zìpāigǎn 셀카봉

0726 ☐ ☐ ☐

똑같은 장면도 다르게 담아내는 능력

신의 촬영 기술.

0727 ☐ ☐ ☐

구도만 잘 잡아도 퀄리티가 업!

사진 찍을 땐 구도가 중요해.

0728 ☐ ☐ ☐

풍경 사진이 좋다면 '风景照'로 표현해요

난 인물 사진 찍는 게 좋아.

0729 ☐ ☐ ☐

막손을 금손으로 만들어 주는 카메라!

좋은 카메라 추천해 줘!

0730 ☐ ☐ ☐

셀카봉은 '自拍棍'이라고도 해요

셀카봉 꼭 챙기기!

0731

☐ ☐ ☐

喜欢坐公交听音乐。

Xǐhuan zuò gōngjiāo tīng yīnyuè.

公交 gōngjiāo 버스(＝公交车)

0732

☐ ☐ ☐

我还是喜欢抒情歌。

Wǒ háishi xǐhuan shūqínggē.

抒情歌 shūqínggē 발라드

0733

☐ ☐ ☐

最近喜欢听独立乐队的歌曲。

Zuìjìn xǐhuan tīng dúlì yuèduì de gēqǔ.

独立乐队 dúlì yuèduì 인디 밴드

0734

☐ ☐ ☐

偶尔听古典音乐。

Ǒu'ěr tīng gǔdiǎn yīnyuè.

偶尔 ǒu'ěr 때때로, 가끔 | **古典音乐** gǔdiǎn yīnyuè 고전 음악, 클래식

0735

☐ ☐ ☐

听歌真的很治愈。

Tīng gē zhēnde hěn zhìyù.

治愈 zhìyù 치유하다
'治愈'가 최근에는 '힐링하다'의 느낌으로도 많이 쓰인다.

0731

제일 뒷자리에 앉아 이어폰 꽂고 있으면 굿!

버스에서 음악 듣는 거 좋아.

0732

느린 노래라서 '慢歌'라고도 해요

난 역시 발라드가 좋아.

0733

'屋顶月光(옥상달빛)' 같은 인디 밴드!

요즘 인디 밴드 노래가 좋아.

0734

아무 생각 없이 쉬고 싶을 때

가끔은 클래식을 들어.

0735

가장 저렴하고 효과적인 힐링법

음악 들으면 정말 힐링 돼.

0736~0740.mp3

0736

我唱歌比较好听。
Wǒ chànggē bǐjiào hǎotīng.

唱歌 chànggē 노래 부르다

0737

这是我在KTV必唱曲。
Zhè shì wǒ zài KTV bìchàngqǔ.

KTV 중국의 노래방을 일컫는 말 | 必唱曲 bìchàngqǔ 반드시 부르는 노래

0738

我唱歌跑调了。
Wǒ chànggē pǎodiào le.

跑调(儿) pǎodiào(r) 가락이 빗나가다, 음이탈 나다

0739

唱歌可以解压。
Chànggē kěyǐ jiěyā.

解压 jiěyā 압축을 풀다. 스트레스나 긴장을 풀다

0740

好讨厌拿着话筒不放的人。
Hǎo tǎoyàn názhe huàtǒng bú fàng de rén.

话筒 huàtǒng 마이크 | 放 fàng 놓다. 풀어 주다

137

0736

적어도 주변 사람들이 인정할 정도

내가 노래 좀 해.

0737

노래방 가면 꼭 부르는 노래

이건 내 노래방 18번이야.

0738

일명 삑사리

나 노래하다 음이탈 났어.

0739

스트레스가 노랫소리를 따라 빠져나가는 느낌

노래하면 스트레스가 풀려.

0740

마이크 전세 낸 줄

마이크 들고 안 놓는 사람 싫어.

0741

最喜欢逛街了。
Zuì xǐhuan guàngjiē le.

逛街 guàngjiē 쇼핑하다, 한가로이 거닐며 구경하다

0742

今天买了好多东西。
Jīntiān mǎile hǎoduō dōngxi.

好多 hǎoduō 대단히 많은 | 东西 dōngxi 것, 물건, 사물

0743

网上购物的确很方便。
Wǎngshàng gòuwù díquè hěn fāngbiàn.

网上购物 wǎngshàng gòuwù 인터넷 쇼핑 | 的确 díquè 확실히, 정말 | 方便 fāngbiàn 편리하다

0744

最近我的钱包太瘦了。
Zuìjìn wǒ de qiánbāo tài shòu le.

瘦 shòu 여위다, 넉넉지 못하다

0745

再买就剁手。
Zài mǎi jiù duòshǒu.

剁手 duòshǒu 쇼핑에 중독되어 손을 잘라야 한다(신조어)

0741 ☐ ☐ ☐

생각만 해도 즐거운 쇼핑

쇼핑이 제일 좋아.

0742 ☐ ☐ ☐

쇼핑 한번 제대로 한 날

오늘 참 많은 걸 샀네.

0743 ☐ ☐ ☐

손가락과 돈만 있으면 할 수 있죠

인터넷 쇼핑이 확실히 편하지.

0744 ☐ ☐ ☐

쇼핑 횟수와 지갑 무게는 반비례하죠

요즘 내 지갑이 너무 야위었어.

0745 ☐ ☐ ☐

쇼핑을 끊겠다는 굳은 의지를 나타내는 신조어

또 사면 손을 잘라야지.

🎧 0746~0750.mp3

☐ ☐ ☐

0746

这是买一送一。

Zhè shì mǎi yī sòng yī.

买一送一 mǎi yī sòng yī (하나 사면 하나를 주는) 원 플러스 원

☐ ☐ ☐

0747

全部都在打折。

Quánbù dōu zài dǎzhé.

打折 dǎzhé 가격을 깎다, 할인하다

☐ ☐ ☐

0748

全部都在(打)七折。

Quánbù dōu zài (dǎ) qī zhé.

(打)七折 (dǎ) qī zhé 7할 가격, 30% 할인

☐ ☐ ☐

0749

只逛不买而已。

Zhǐ guàng bù mǎi éryǐ.

而已 éryǐ ~뿐이다

☐ ☐ ☐

0750

女人就是爱逛街的动物。

Nǚrén jiùshì ài guàngjiē de dòngwù.

动物 dòngwù 동물

141

0746 □ □ □

'买二送一(2+1)'도 있어요

이거 1+1이야.

0747 □ □ □

세일 기간 챙겨서 득템하기

전부 다 세일해.

0748 □ □ □

20%라면 '打八折', 중국은 반대로 표현해요

전부 다 30% 세일이야.

0749 □ □ □

구경만 하고(只逛), 사지 않는(不买)

아이쇼핑일 뿐이야.

0750 □ □ □

쇼핑 좋아하는 남자도 보긴 했습니다만

여자란 쇼핑을 사랑하는 동물.

○ ✕ 복습

01 책 읽는 걸 좋아해.   我喜欢 　　　　。 ☐ ☐ `0701`

02 매주 책 한 권씩 읽기로 결심했어.   我 　　　 每周看一本书。 ☐ ☐ `0704`

03 나는 문학소녀!   我是 　　　 少女! ☐ ☐ `0705`

04 난 종이책으로 보는 게 좋아.   我喜欢看 　　　 书。 ☐ ☐ `0707`

05 한가하면 서점에 가.   　　　 得没事就去书店。 ☐ ☐ `0709`

06 제일 자신 있는 음식이 뭐야?   最 　　　 的菜是什么? ☐ ☐ `0712`

07 앞으로 날 셰프라고 불러 줘.   以后请叫我 　　　。 ☐ ☐ `0715`

08 집 밥이 그리워.   好怀念 　　　。 ☐ ☐ `0718`

09 〈냉장고를 부탁해〉 너무 재밌어!   《拜托了冰箱》太 　　　 了! ☐ ☐ `0719`

10 심심할 땐, 셀카 놀이.   无聊时，玩 　　　。 ☐ ☐ `0721`

11 포즈 취해 봐.   摆个 　　　 吧。 ☐ ☐ `0723`

12 브이만 하지 말고!   不要总是 　　　 手! ☐ ☐ `0724`

정답 01 看书 02 决定 03 文学 04 纸质 05 闲 06 拿手 07 厨师 08 家常菜 09 好看 10 自拍 11 姿势 12 剪刀

13	사진 찍을 땐 구도가 중요해.	拍照时	很重要。	☐ ☐	0727
14	셀카봉 꼭 챙기기!	一定要记得带	！	☐ ☐	0730
15	난 역시 발라드가 좋아.	我还是喜欢	歌。	☐ ☐	0732
16	음악 들으면 정말 힐링 돼.	听歌真的很	。	☐ ☐	0735
17	이건 내 노래방 18번이야.	这是我在KTV	。	☐ ☐	0737
18	노래하면 스트레스가 풀려.	唱歌可以	。	☐ ☐	0739
19	쇼핑이 제일 좋아.	最喜欢	了。	☐ ☐	0741
20	인터넷 쇼핑이 확실히 편하지.		购物的确很方便。	☐ ☐	0743
21	요즘 내 지갑이 너무 야위었어.	最近我的钱包太	了。	☐ ☐	0744
22	또 사면 손을 잘라야지.	再买就	。	☐ ☐	0745
23	이거 1+1이야.	这是买一	一。	☐ ☐	0746
24	전부 다 30% 세일이야.	全部都在打	。	☐ ☐	0748
25	아이쇼핑일 뿐이야.		不买而已。	☐ ☐	0749

맞은 개수: **25개 중** _____ **개**

당신은 그동안 _____%를 잊어버렸습니다.

틀린 문장들은 다시 한번 보고 넘어가세요.

정답 13 构图 14 自拍杆 15 抒情 16 治愈 17 必唱曲 18 解压 19 逛街 20 网上 21 瘦 22 剁手
23 送 24 七折 25 只逛

144

🎧 0751~0755.mp3

0751

我的兴趣爱好是绘画。
Wǒ de xìngqù àihào shì huìhuà.

兴趣爱好 xìngqù àihào 취미와 관심 분야 | 绘画 huìhuà 그림(을 그리다)

0752

迷上了水彩画。
Míshàngle shuǐcǎihuà.

迷 mí 빠지다, 심취하다 | 水彩画 shuǐcǎihuà 수채화

0753

非常喜欢梵高的画。
Fēicháng xǐhuan Fàn Gāo de huà.

梵高 Fàn Gāo 반 고흐(文森特·梵高 빈센트 반 고흐)

0754

我经常一个人去看展览。
Wǒ jīngcháng yí ge rén qù kàn zhǎnlǎn.

展览 zhǎnlǎn 전람회, 전시회

0755

最近填色书很火。
Zuìjìn tiánsèshū hěn huǒ.

填色书 tiánsèshū 컬러링북

0751 ☐ ☐ ☐

끄적끄적 그리기 좋아하는 사람

내 취미는 그림 그리기야.

0752 ☐ ☐ ☐

'风景画(풍경화)', '肖像画(초상화)' 등 활용 가능해요

수채화에 빠졌어.

0753 ☐ ☐ ☐

특히 〈星空(별이 빛나는 밤)〉이 유명하죠

반 고흐 그림이 너무 좋아.

0754 ☐ ☐ ☐

전시회를 즐기는 경우

혼자 전시회에 자주 가.

0755 ☐ ☐ ☐

어릴 때 하던 색칠 공부의 부활

요즘 컬러링북이 인기야.

瑜伽是我最爱的运动。

Yújiā shì wǒ zuì ài de yùndòng.

瑜伽 yújiā 요가

我要每天做仰卧起坐。

Wǒ yào měitiān zuò yǎngwòqǐzuò.

仰卧起坐 yǎngwòqǐzuò 윗몸 일으키기

冬天就该去滑雪。

Dōngtiān jiù gāi qù huáxuě.

冬天 dōngtiān 겨울 | 滑雪 huáxuě 스키를 타다

有空就去健身房。

Yǒu kòng jiù qù jiànshēnfáng.

健身房 jiànshēnfáng 헬스클럽

请叫我游泳高手。

Qǐng jiào wǒ yóuyǒng gāoshǒu.

高手 gāoshǒu 고수, 달인

0756

핫요가는 '热瑜伽'로 표현해요

요가는 내가 제일 사랑하는 운동.

0757

남자들이 주로 하는 팔 굽혀 펴기는 '俯卧撑'

매일 윗몸 일으키기 해야지.

0758

스노우보드를 탄다면 '单板滑雪'

겨울엔 스키지.

0759

일단 작심삼일을 이겨 내야 성공

틈나는 대로 헬스클럽 가기.

0760

반대로 수영을 못하는 '맥주병'은 '旱鸭子'라고 해요

날 수영의 고수라 불러 줘.

🎧 0761~0765.mp3

0761

我想做咖啡师。

Wǒ xiǎng zuò kāfēishī.

咖啡师 kāfēishī 바리스타

0762

开始学做咖啡了。

Kāishǐ xué zuò kāfēi le.

咖啡 kāfēi 커피

0763

咖啡拉花真难。

Kāfēi lāhuā zhēn nán.

咖啡拉花 kāfēi lāhuā 라떼 아트

0764

咖啡香味扑鼻而来。

Kāfēi xiāngwèi pūbí ér lái.

香味 xiāngwèi 향, 향기 | 扑鼻而来 pūbí ér lái 코를 찌르며 풍겨 오다

0765

我喜欢在咖啡店看书。

Wǒ xǐhuan zài kāfēidiàn kànshū.

咖啡店 kāfēidiàn 커피숍

149

0761 ☐ ☐ ☐

요즘 인기 직종이라고 하죠

바리스타 되고 싶어.

0762 ☐ ☐ ☐

꾸준히 인기라는 바리스타 과정

커피 배우기 시작했어.

0763 ☐ ☐ ☐

커피에 예술 더하기

라떼 아트 진짜 어렵다.

0764 ☐ ☐ ☐

커피는 일단 향으로 마십니다

커피 향이 코를 찌르네.

0765 ☐ ☐ ☐

북카페가 인기인 이유

커피숍에서 책 읽는 게 좋아.

0766

☐ ☐ ☐

我是咖啡控。
Wǒ shì kāfēi kòng.

控 kòng 팬, 마니아, 애호가

0767

☐ ☐ ☐

我喜欢手冲咖啡。
Wǒ xǐhuan shǒuchōng kāfēi.

手冲咖啡 shǒuchōng kāfēi 드립 커피

0768

☐ ☐ ☐

偶尔喝速溶咖啡。
Ǒu'ěr hē sùróng kāfēi.

速溶咖啡 sùróng kāfēi 인스턴트 커피

0769

☐ ☐ ☐

我对咖啡因很敏感。
Wǒ duì kāfēiyīn hěn mǐngǎn.

咖啡因 kāfēiyīn 카페인 | 敏感 mǐngǎn 민감하다, 예민하다

0770

☐ ☐ ☐

白天喝咖啡，晚上睡不着。
Báitiān hē kāfēi, wǎnshang shuìbuzháo.

白天 báitiān 낮 | 睡不着 shuìbuzháo 잠을 잘 수 없다

151

0766 □ □ □

'좋아하는 것+控' 형태로 잘 써요

난 커피 마니아.

0767 □ □ □

장시간에 걸쳐 한 방울씩 우려내는 더치 커피는 '冰滴咖啡'

드립 커피가 좋아.

0768 □ □ □

종이컵에 마셔야 제맛인, 일명 다방 커피

가끔 인스턴트 커피를 마셔.

0769 □ □ □

커피 마시면 잠을 못 자는 사람

난 카페인에 민감해.

0770 □ □ □

이럴 땐 '无咖啡因(디카페인)'이 답입니다

낮에 커피 마시면 밤에 잠이 안 와.

🎧 0771~0775.mp3

0771 ☐ ☐ ☐

我的爱好是收集硬币。
Wǒ de àihào shì shōují yìngbì.

收集 shōují 수집하다, 모으다 | 硬币 yìngbì 동전

0772 ☐ ☐ ☐

最近喜欢收集帽子。
Zuìjìn xǐhuan shōují màozi.

帽子 màozi 모자

0773 ☐ ☐ ☐

很喜欢收集好看的文具。
Hěn xǐhuan shōují hǎokàn de wénjù.

文具 wénjù 문구, 팬시 용품

0774 ☐ ☐ ☐

好想收集所有关于Kitty的东西。
Hǎo xiǎng shōují suǒyǒu guānyú Kitty de dōngxi.

所有 suǒyǒu 모든, 전부의

0775 ☐ ☐ ☐

旅行时喜欢收集明信片。
Lǚxíng shí xǐhuan shōují míngxìnpiàn.

旅行 lǚxíng 여행하다 | 明信片 míngxìnpiàn 엽서

153

0771

□ □ □

세계 각지의 동전에 관심 있는 사람

내 취미는 동전 모으기.

0772

□ □ □

모자 마니아들이 꽤 있죠

요즘 모자 모으는 게 좋더라.

0773

□ □ □

예쁜 문구류만 보면 사족을 못 쓰는 사람

예쁜 팬시 용품 모으는 거 좋아해.

0774

□ □ □

'헬로 키티'는 '凯蒂猫(키티 고양이)'로 표현해요

키티 관련 용품 모두 모으고파.

0775

□ □ □

여행지에서 도시 풍경이 담긴 엽서 사기

여행할 때 엽서 모으는 거 좋아해.

🔊 0776~0780 .mp3

11 술

0776

干杯!
Gānbēi!

干杯 gānbēi 건배하다, 잔을 비우다

0777

我干杯，你随意。
Wǒ gānbēi, nǐ suíyì.

随意 suíyì 뜻대로 하다, 마음대로 하다

0778

不醉不归!
Búzuìbùguī!

归 guī 돌아가다

0779

喝个痛快!
Hē ge tòngkuài!

痛快 tòngkuài 통쾌하다, 마음껏 즐기다, 실컷 하다

0780

喝个一醉方休!
Hē ge yízuìfāngxiū!

一醉方休 yízuìfāngxiū 취해야 쉴 수 있다

0776

술잔을 부딪치며

건배!

0777

앞에 '没关系(괜찮아)'를 붙여서 자주 하는 말

난 원샷할게, 넌 편하게 마셔.

0778

직역하면 '안 취하면 (집에) 못 돌아감'

취할 때까지 마셔 보자!

0779

마음 놓고 시원하게 마시자는 말

실컷 마셔 보자!

0780

취할 때까지 마셔야 한다는 의미

코가 비뚤어지게 마셔 보자!

0781 ☐ ☐ ☐

感情深一口闷，感情浅舔一舔！

Gǎnqíng shēn yì kǒu mēn, gǎnqíng qiǎn tiǎn yi tiǎn!

一口闷 yì kǒu mēn 한입에 털어 넣다 | **浅** qiǎn (정이) 깊지 않다 | **舔** tiǎn 핥다

0782 ☐ ☐ ☐

你在养鱼吗?

Nǐ zài yǎng yú ma?

养鱼 yǎng yú 물고기를 기르다

0783 ☐ ☐ ☐

昨天喝酒喝断片儿了。

Zuótiān hē jiǔ hē duànpiānr le.

0784 ☐ ☐ ☐

第一次喝酒喝到吐。

Dìyī cì hē jiǔ hē dào tù.

吐 tù 토하다

0785 ☐ ☐ ☐

好喜欢喝醉的感觉。

Hǎo xǐhuan hē zuì de gǎnjué.

157

0781 ☐ ☐ ☐

술자리에서 잘 쓰는 건배사 중 하나

정이 깊으면 원샷, 아니면 입만 대!

0782 ☐ ☐ ☐

술을 남기면 '물고기 기른다'라고 표현해요

원샷 안 해?

0783 ☐ ☐ ☐

내가 집에 어떻게 돌아왔을까

어제 술 먹고 필름 끊겼어.

0784 ☐ ☐ ☐

자기 주량은 확실히 알아야죠

처음으로 토할 때까지 마셨어.

0785 ☐ ☐ ☐

근심·걱정이 모두 사라진 느낌

술에 취한 느낌이 좋아.

□ □ □

0786

我最关注的是健康。
Wǒ zuì guānzhù de shì jiànkāng.

关注 guānzhù 주시하다, 관심을 갖고 중요하게 여기다

□ □ □

0787

健康第一。
Jiànkāng dìyī.

第一 diyī 가장 중요하다, 제일이다

□ □ □

0788

精神健康也很重要。
Jīngshén jiànkāng yě hěn zhòngyào.

精神健康 jīngshén jiànkāng 정신 건강

□ □ □

0789

控制一下体重。
Kòngzhì yíxià tǐzhòng.

控制 kòngzhì 통제하다, 조절하다 | 体重 tǐzhòng 체중, 몸무게

□ □ □

0790

控制饮食太难了。
Kòngzhì yǐnshí tài nán le.

饮食 yǐnshí 음식

0786

백 세 시대, 건강하게 살아야죠

내 최대 관심사는 건강이야.

0787

건강을 잃으면 모든 걸 잃어요

건강이 제일이야.

0788

몸의 병은 마음에서 오기도 합니다

정신 건강도 중요해.

0789

적당한 체중을 목표로

체중 조절 좀 하자.

0790

운동만큼 중요한 식이 요법

음식 조절은 진짜 힘들어.

0791

说走就走!
Shuō zǒu jiù zǒu!

说~就~ shuō~jiù~ ~라고 말하자 마자 ~하다, 바로 ~하다

0792

我的梦想是环球旅行。
Wǒ de mèngxiǎng shì huánqiú lǚxíng.

环球旅行 huánqiú lǚxíng 세계 일주

0793

来一场一个人的旅行!
Lái yìchǎng yí ge rén de lǚxíng!

来 lái 어떤 동작을 하다 ｜ 一场 yìchǎng 한 번, 한 차례

0794

穷游也好。
Qióngyóu yě hǎo.

穷游 qióngyóu 가난한 여행, 적은 돈으로 하는 여행

0795

看完《花样青春》好想去旅行。
Kànwán 《Huāyàng Qīngchūn》 hǎo xiǎng qù lǚxíng.

花样青春 Huāyàng Qīngchūn 꽃보다 청춘(cf. 花样男子 꽃보다 남자)

0791 ☐ ☐ ☐

망설이지 말고, 주저하지 말고 떠나자는 의미의 유행어

훌쩍 떠나자!

0792 ☐ ☐ ☐

세계 곳곳에 발자국 남기기

내 꿈은 세계 일주.

0793 ☐ ☐ ☐

혼자 떠나는 여행, 색다릅니다

혼자만의 여행 한번 해 보자!

0794 ☐ ☐ ☐

충분한 돈을 갖고 떠나는 부유한 여행은 '富游'라고 해요

가난한 여행이라도 좋아.

0795 ☐ ☐ ☐

이런 걸 '여행 뽐뿌'가 왔다고 하나요

〈꽃보다 청춘〉 보니까 여행 가고파.

🎧 0796~0800.mp3

0796

☐ ☐ ☐

我爱交友。
Wǒ ài jiāoyǒu.

交友 jiāoyǒu 친구를 사귀다, 교제하다

0797

☐ ☐ ☐

好想交外国朋友。
Hǎo xiǎng jiāo wàiguó péngyou.

外国 wàiguó 외국

0798

☐ ☐ ☐

求介绍~
Qiú jièshào~

0799

☐ ☐ ☐

我有点认生。
Wǒ yǒudiǎn rènshēng.

认生 rènshēng 낯가리다

0800

☐ ☐ ☐

都说我人缘好。
Dōu shuō wǒ rényuán hǎo.

人缘 rényuán 인연, 인간관계

0796 ☐ ☐ ☐

다양한 사람 만나기를 즐기는 경우

난 친구 사귀는 거 좋아해.

0797 ☐ ☐ ☐

외국 문화 교류 혹은 외국어에 대한 관심으로

외국 친구를 사귀고 싶어.

0798 ☐ ☐ ☐

누군가 소개 받고 싶을 때

소개 좀~

0799 ☐ ☐ ☐

붙임성이 부족한 경우

난 낯가림을 좀 해.

0800 ☐ ☐ ☐

인복이 없을 땐 '人缘差'로 표현합니다

다들 내가 인복 있대.

망각방지 **1**
장 치

하루만 지나도 학습한 내용의 50%가 머릿속에서 도망가 버린다는 사실! 과연 여러분은? 5분 안에 아래의 25개를 말해 보세요. 아침에 한 번 했다면, 저녁에 또 한 번!

○ ✕ 복습

01 내 취미는 그림 그리기야. 我的兴趣爱好是 。 ☐ ☐ `0751`

02 요즘 컬러링북이 인기야. 最近 很火。 ☐ ☐ `0755`

03 요가는 내가 제일 사랑 하는 운동. 是我最爱的运动。 ☐ ☐ `0756`

04 겨울엔 스키지. 冬天就该去 。 ☐ ☐ `0758`

05 틈나는 대로 헬스클럽 가기. 有空就去 。 ☐ ☐ `0759`

06 바리스타 되고 싶어. 我想做 。 ☐ ☐ `0761`

07 라떼 아트 진짜 어렵다. 咖啡 真难。 ☐ ☐ `0763`

08 난 커피 마니아. 我是咖啡 。 ☐ ☐ `0766`

09 난 카페인에 민감해. 我对咖啡因很 。 ☐ ☐ `0769`

10 요즘 모자 모으는 게 좋더라. 最近喜欢 帽子。 ☐ ☐ `0772`

11 예쁜 팬시 용품 모으는 거 좋아해. 很喜欢收集好看的 。 ☐ ☐ `0773`

12 난 원샷할게, 넌 편하게 마셔. 我干杯，你 。 ☐ ☐ `0777`

정답 01 绘画 02 填色书 03 瑜伽 04 滑雪 05 健身房 06 咖啡师 07 拉花 08 控 09 敏感 10 收集
11 文具 12 随意

13	취할 때까지 마셔 보자!	不醉不	!	☐ ☐	0778
14	실컷 마셔 보자!	喝个	!	☐ ☐	0779
15	원샷 안 해?	你在	吗?	☐ ☐	0782
16	처음으로 토할 때까지 마셨어.	第一次喝酒喝到	。	☐ ☐	0784
17	내 최대 관심사는 건강이야.	我最	的是健康。	☐ ☐	0786
18	건강이 제일이야.	健康	。	☐ ☐	0787
19	체중 조절 좀 하자.		一下体重。	☐ ☐	0789
20	내 꿈은 세계 일주.	我的梦想是	。	☐ ☐	0792
21	가난한 여행이라도 좋아.		也好。	☐ ☐	0794
22	난 친구 사귀는 거 좋아해.	我爱	。	☐ ☐	0796
23	소개 좀~	求	~	☐ ☐	0798
24	난 낯가림을 좀 해.	我有点	。	☐ ☐	0799
25	다들 내가 인복 있대.	都说我	好。	☐ ☐	0800

맞은 개수: **25개 중** _____ 개

당신은 그동안 _____%를 잊어버렸습니다.

틀린 문장들은 다시 한번 보고 넘어가세요.

정답 13 归 14 痛快 15 养鱼 16 吐 17 关注 18 第一 19 控制 20 环球旅行 21 穷游 22 交友
23 介绍 24 认生 25 人缘

071 친구가 서점에 가자고 할 때 🎧 huihua 071.mp3

A **你在做什么？我要去书店，一起去吗？**
Nǐ zài zuò shénme? Wǒ yào qù shūdiàn, yìqǐ qù ma?

B **你要买书啊？看来你很喜欢看书。**
Nǐ yào mǎi shū a? Kànlái nǐ hěn xǐhuan kànshū.

A **我** 한가하면 서점에 가.0709
Wǒ

B **我** 책 사는 건 좋은데 읽는 건 싫더라.0708 **哈哈。**
Wǒ　　　　　　　　　　　　　　　　　　　　　　Hāhā.

072 직접 음식을 만들어 줄 때 🎧 huihua 072.mp3

A **这是我做的泡菜炒饭，尝尝吧。**
Zhè shì wǒ zuò de pàocài chǎofàn, chángchang ba.

B **哇，** 진심 눈물 나게 맛있다.0716
Wā

A **感动了吧？** 앞으로 날 셰프라고 불러 줘!0715
Gǎndòng le ba?

B **吹牛！**
Chuīniú!

• 泡菜 pàocài 김치　炒饭 chǎofàn 볶음밥

071

A   너 뭐해? 나 서점 갈 건데, 같이 갈래?

B   책 사려고? 보아하니 너 책 읽는 거 좋아하는구나.

A   난 **闲得没事就去书店。** ₀₇₀₉
      xián de méishìr jiù qù shūdiàn.

B   난 **喜欢买书，却不喜欢看书。** ₀₇₀₈ 하하.
      xǐhuan mǎi shū, què bù xǐhuan kànshū.

A   이건 내가 만든 김치볶음밥이야, 먹어 봐.

B   와, **真心好吃到哭。** ₀₇₁₆
      zhēnxīn hǎochī dào kū.

A   감동이지? **以后请叫我厨师!** ₀₇₁₅
      Yǐhòu qǐng jiào wǒ chúshī!

B   허풍 떨기는!

A 这里的风景很美。你 포즈 취해 봐, ⁰⁷²³ 我给你拍照!
Zhèlǐ de fēngjǐng hěn měi. Nǐ wǒ gěi nǐ pāizhào!

B 好啊! 茄子～
Hǎo a! Qiézi~

A 브이만 하지 말고! ⁰⁷²⁴ 换个姿势。
Huàn ge zīshì.

B 那，这样好吗?
Nà, zhèyàng hǎo ma?

• 茄子 qiézi 가지(중국에서는 사진 찍을 때 '가지(치에즈)~'라고 함)

A 哦，你也喜欢听屋顶月光的歌曲? 真没想到啊。
Ò, nǐ yě xǐhuan tīng Wūdǐngyuèguāng de gēqǔ? Zhēn méi xiǎngdào a.

B 最近 인디 밴드 노래가 좋아. ⁰⁷³³
Zuìjìn

A 她们的歌是 내 노래방 18번이야. ⁰⁷³⁷
Tāmen de gē shì

B 哇，今天晚上我们一起去KTV吧!
Wā, jīntiān wǎnshang wǒmen yìqǐ qù KTV ba!

A 여기 풍경 예쁘다. 너 **摆个姿势吧,** 0723 내가 사진 찍어
　　　　　　　　　 bǎi ge zīshì ba,

줄게!

B 좋아! 김치~

A **不要总是剪刀手!** 0724 포즈 바꿔 봐.
　 Búyào zǒngshì jiǎndāoshǒu!

B 그럼, 이건 어때?

A 오, 너도 옥상달빛 노래 좋아해? 진짜 생각도 못했다.

B 요즘 **喜欢听独立乐队的歌曲。** 0733
　　　 xǐhuan tīng dúlì yuèduì de gēqǔ.

A 이 가수 노래가 **我在KTV必唱曲。** 0737
　　　　　　　　　 wǒ de KTV bìchàngqǔ.

B 와, 오늘 저녁에 같이 노래방 가자!

A　你看，你看，이거 1+1이야! 0746　我们买一个吧。
　　Nǐ kàn, nǐ kàn,　　　　　　　　Wǒmen mǎi yí ge ba.

B　最近我买了好多东西，钱包太瘦了。
　　Zuìjìn wǒ mǎile hǎo duō dōngxi, qiánbāo tài shòu le.

A　买一送一，这是非常难得的机会。
　　Mǎi yī sòng yī, zhè shì fēicháng nándé de jīhuì.

B　那我这是最后一次，또 사면 손을 잘라야지! 0745
　　Nà wǒ zhè shì zuìhòu yí cì,

• **难得** nándé 얻기 힘들다, 드물다　**最后一次** zuìhòu yí cì 마지막

A　这是什么书?
　　Zhè shì shénme shū?

B　这是填色书，요즘 컬러링북이 인기거든. 0755
　　Zhè shì tiánsèshū,

A　看起来很好玩儿，这是梵高的画吧?
　　Kànqǐlai hěn hǎo wánr, zhè shì Fàn Gāo de huà ba?

B　是的，我 반 고흐 그림이 너무 좋아. 0753
　　Shì de, wǒ

171

A 봐 봐, 봐 봐, **这是买一送一!** 0746 우리 하나 사자.
   zhè shì mǎi yī sòng yī!

B 요즘 너무 많은 걸 사서, 지갑이 야위었어.

A 1+1이야, 이거 엄청 드문 기회란 말이야.

B 그럼 이번이 마지막이다, **再买就剁手!** 0745
   zài mǎi jiù duòshǒu!

A 이게 무슨 책이야?

B 이건 컬러링북이야, **最近填色书很火。** 0755
   zuìjìn tiánsèshū hěn huǒ.

A 재미있어 보인다, 이거 반 고흐 그림이지?

B 응, 난 **非常喜欢梵高的画。** 0753
   fēicháng xǐhuan Fàn Gāo de huà.

A 哇，好香啊！这是咖啡香味吗？
Wā, hǎo xiāng a! Zhè shì kāfēi xiāngwèi ma?

B 对，我 커피 배우기 시작했어. ⁰⁷⁶²
Duì, wǒ

A 怎么样？好学吗？
Zěnmeyàng? Hǎo xué ma?

B 还好吧，라떼 아트가 진짜 어려워. ⁰⁷⁶³
Hái hǎo ba,

A 今天大家 실컷 마셔 보자! ⁰⁷⁷⁹ 干杯！
Jīntiān dàjiā   Gānbēi!

B 那个…… 我酒量很差。
Nàge…   Wǒ jiǔliàng hěn chà.

A 没关系。난 원샷할게, 넌 편하게 마셔. ⁰⁷⁷⁷
Méi guānxi.

B 好，干杯！
Hǎo, gānbēi!

A 와, 향기 좋다! 이거 커피 향이지?

B 맞아, 나 **开始学做咖啡了。** 0762
kāishǐ xué zuò kāfēi le.

A 어때? 배울 만해?

B 그런대로, **咖啡拉花真难。** 0763
kāfēi lāhuā zhēn nán.

A 오늘 다들 **喝个痛快!** 0779 건배!
hē ge tòngkuài!

B 저기… 난 주량이 아주 약해서.

A 괜찮아. **我干杯, 你随意。** 0777
Wǒ gānbēi, nǐ suíyì.

B 그래, 건배!

A   来来，정이 깊으면 원샷, ⁰⁷⁸¹ 感情浅舔一舔!
     Láilai,   gǎnqíng qiǎn tiǎn yi tiǎn!

B   干杯!
     Gānbēi!

A   小咪，你怎么没喝完? 원샷 안 해? ⁰⁷⁸²
     Xiǎo Mī, nǐ zěnme méi hēwán?

B   我昨天喝酒喝多了，还在不舒服。
     Wǒ zuótiān hē jiǔ hē duō le, hái zài bù shūfu.

A   我 외국 친구를 사귀고 싶어. ⁰⁷⁹⁷
     Wǒ

B   我有很多外国朋友，친구 사귀는 거 좋아하거든. ⁰⁷⁹⁶
     Wǒ yǒu hěn duō wàiguó péngyou,

A   哇，太好了! 给我介绍一个吧。
     Wā, tài hǎo le!   Gěi wǒ jièshào yí ge ba.

B   好的，你要男的还是女的?
     Hǎode, nǐ yào nánde háishi nǚde?

A 자자, **感情深一口闷,** ₀₇₈₁ 아니면 입만 대!
   gǎnqíng shēn yì kǒu mēn,

B 건배!

A 샤오미, 너 왜 다 안 마셔? **你在养鱼吗?** ₀₇₈₂
   Nǐ zài yǎng yú ma?

B 나 어제 술을 많이 마셔서, 아직 좀 안 좋아.

A 나 **好想交外国朋友。** ₀₇₉₇
   hǎo xiǎng jiāo wàiguó péngyou.

B 나 외국 친구 많아, **我爱交友。** ₀₇₉₆
   wǒ ài jiāoyǒu.

A 와, 잘됐다! 나 한 명 소개해 줘.

B 그래, 남자가 좋아, 여자가 좋아?

네이티브가
팬질할 때
자주 쓰는 표현 100

Part 9 전체 듣기

한류 열풍으로 인해
중국 팬들의 영향력이 무척이나 커졌습니다.
팬 활동을 하는 데에도
중국 팬들과의 소통이 필요해졌죠.
소위 '팬질'할 때 유용하게 쓸 수 있는
꿀표현들을 한데 모아 봤습니다.
우리 중국어로 다 같이 '팬질'해 봐요!

🔊 0801~0805.mp3

新歌超级好听。
Xīngē chāojí hǎotīng.

新歌 xīngē 신곡

除了主打歌以外，其它歌曲也很好。
Chúle zhǔdǎgē yǐwài, qítā gēqǔ yě hěn hǎo.

主打歌 zhǔdǎgē 타이틀곡 | 歌曲 gēqǔ 노래

舞台上的欧巴魅力四射。
Wǔtáishàng de ōubā mèilì sìshè.

舞台 wǔtái 무대, 스테이지 | 欧巴 ōubā '오빠'의 중국어 발음을 그대로 표기한 것 | 魅力 mèilì 매력 |
四射 sìshè 사방으로 발산하다

欧尼的声音真好听。
Ōuní de shēngyīn zhēn hǎotīng.

欧尼 ōuní '언니'의 중국어 발음을 그대로 표기한 것 | 声音 shēngyīn 목소리

温暖人心的歌声。
Wēnnuǎn rénxīn de gēshēng.

温暖 wēnnuǎn 포근하게 하다 | 歌声 gēshēng 노랫소리

0801 ☐ ☐ ☐

엄청남을 표현하고 싶을 땐 '超级'

신곡 넘나 좋은 것.

0802 ☐ ☐ ☐

완성도 높은, 잘 뽑은 앨범일 때

타이틀곡 외에 다른 곡도 좋아.

0803 ☐ ☐ ☐

무대 위에서 더욱 빛나는 내 가수

무대 위의 오빠는 매력 만점.

0804 ☐ ☐ ☐

달달한 목소리를 가진 가수

언니 목소리 진짜 좋아.

0805 ☐ ☐ ☐

귓가에 봄이 찾아온 듯한 목소리

마음을 훈훈하게 만드는 노랫소리.

0806

□ □ □

希望早点回归吧。

Xīwàng zǎo diǎn huíguī ba.

回归 huíguī 돌아오다, 컴백하다

0807

□ □ □

剪辑视频真的很棒。

Jiǎnjí shìpín zhēnde hěn bàng.

剪辑 jiǎnjí 편집 | 视频 shìpín 동영상

0808

□ □ □

花絮实在是百看不厌!

Huāxù shízài shì bǎikànbúyàn!

花絮 huāxù 본방 외의 영상을 모아 편집한 것 | 百看不厌 bǎikànbúyàn 백번 봐도 싫지 않다

0809

□ □ □

口罩遮脸遮不住帅气。

Kǒuzhào zhē liǎn zhēbuzhù shuàiqi.

口罩 kǒuzhào 마스크 | 不住 buzhù ~하지 못하다 | 帅气 shuàiqi 멋지다, 잘생기다

0810

□ □ □

不愧是我们的舞蹈机器。

Búkuì shì wǒmen de wǔdǎo jīqì.

不愧是 búkuì shì ~이라고 할 만하다, 손색없다 | 舞蹈 wǔdǎo 춤 | 机器 jīqì 기계, 머신

0806

공백기는 너무 힘들어

얼른 컴백했으면 좋겠다.

0807

내 가수 is 뭔들

편집 영상 진짜 멋짐.

0808

아무리 들어도 안 질릴 땐 '百听不厌'

메이킹 필름 백번 봐도 안 질려!

0809

아무리 가려도 잘생김은 넘쳐흐르고

마스크로도 잘생김이 안 가려지네.

0810

칼군무는 '刀群舞'로 표현하더라고요

역시 우리의 댄싱머신.

0811~0815.mp3

0811

□ □ □

音源出来了。
Yīnyuán chūlái le.

音源 yīnyuán 음원

0812

□ □ □

发行了第二张正规专辑。
Fāxíngle dì'èr zhāng zhèngguī zhuānjí.

发行 fāxíng 발매하다 | 正规 zhèngguī 정규의 | 专辑 zhuānjí 앨범

0813

□ □ □

终于发新曲了。
Zhōngyú fā xīnqǔ le.

新曲 xīnqǔ 신곡, 신보

0814

□ □ □

官方应援方法出来了。
Guānfāng yìngyuán fāngfǎ chūlái le.

官方 guānfāng 공식적인 | 应援 yìngyuán 응원(하다) | 方法 fāngfǎ 방법

0815

□ □ □

在拍摄MV。
Zài pāishè MV.

拍摄 pāishè 촬영하다, 찍다

0811 □ □ □

기다리다 현기증 날 뻔

음원 나왔다.

0812 □ □ □

'미니 앨범'은 '迷你专辑'로 표현해요

두 번째 정규 앨범 나왔어.

0813 □ □ □

'新曲' 대신 앞에서 나왔던 '新歌'를 써도 무방!

드디어 신곡 나왔어.

0814 □ □ □

떼창을 위한 준비

공식 응원법 나왔어.

0815 □ □ □

중국에서도 'MV'라는 표현을 잘 써요

뮤비 촬영 중.

🎧 0816~0820.mp3

0816

看了EXO的回归舞台演出。

Kànle EXO de huíguī wǔtái yǎnchū.

演出 yǎnchū 공연(하다)

0817

亚巡开始了！

Yàxún kāishǐ le!

亚巡 Yàxún '亚洲巡演(아시아 투어 공연)'을 줄여서 표현한 말

0818

演出时间有变动。

Yǎnchū shíjiān yǒu biàndòng.

变动 biàndòng 변동, 변경

0819

那个女团解散了。

Nàge nǚtuán jiěsàn le.

女团 nǚtuán 스포츠에서는 '여자 단체전'을 의미, 가수를 일컬을 땐 '걸그룹'을 의미 | 解散 jiěsàn 해체하다

0820

在音乐排行榜上获得了第一名。

Zài yīnyuè páihángbǎngshang huòdéle dìyīmíng.

排行榜 páihángbǎng 순위 차트, 랭킹 | 获得 huòdé 차지하다 | 第一名 dìyīmíng 1위, 일등

0816

EXO의 중국 팬 수는 어마어마해요

엑소 컴백 무대 공연 봤어.

0817

신화의 아시아 투어 때 처음 '亚巡'을 배웠습니다

아시아 투어가 시작됐다!

0818

놓치면 큰일!

공연 시간 변경됐어.

0819

'보이그룹'은 '男团'으로 표현해요

그 걸그룹 해체했어.

0820

'음원 차트'는 '音源排行榜'이겠죠?

음악 차트에서 1위 했어.

□ □ □

f(x)的队长是宋茜。
f(x) de duìzhǎng shì Sòng Qiàn.

队长 duìzhǎng 리더, 팀장, 주장

□ □ □

郑容和是摇滚乐队主唱。
Zhèng Rónghé shì yáogǔn yuèduì zhǔchàng.

摇滚 yáogǔn '로큰롤(摇滚乐)'의 약칭, 록 | **乐队** yuèduì 밴드 | **主唱** zhǔchàng 메인보컬

□ □ □

孝渊是少女时代的舞蹈担当。
Xiàoyuān shì Shàonǚshídài de wǔdǎo dāndāng.

担当 dāndāng 담당

□ □ □

TOP是BIGBANG的门面担当。
TOP shì BIGBANG de ménmian dāndāng.

门面 ménmian 외관, 겉모습

□ □ □

missA里有一个中国成员。
miss A lǐ yǒu yí ge Zhōngguó chéngyuán.

成员 chéngyuán 구성원, 멤버

0821

'宋茜'은 빅토리아의 중국 이름이에요

에프엑스의 리더는 빅토리아.

0822

'서브보컬'은 '副主唱'으로 표현합니다

정용화는 록밴드 메인보컬이야.

0823

'역할+担당'으로 그룹 내 역할을 표현해요

효연은 소녀시대의 안무 담당.

0824

요즘은 한 명을 꼽기 힘들 만큼 다들 비주얼이 뛰어나죠

탑은 빅뱅의 비주얼 담당.

0825

중국인 멤버를 둔 그룹의 경우

미쓰에이는 중국인 멤버가 한 명이야.

0826

太期待这部剧了。
Tài qīdài zhè bù jù le.

期待 qīdài 기대하다 | 部 bù 편, 부 | 剧 jù '电视剧(드라마)'의 剧

0827

祝剧大火！
Zhù jù dà huǒ!

祝 zhù 기원하다, 빌다 | 大火 dà huǒ 크게 인기 있다, 번창하다

0828

这是时隔8个月的新作品。
Zhè shì shí gé bā ge yuè de xīn zuòpǐn.

时隔 shí gé ~만에 | 作品 zuòpǐn 작품

0829

刘亚仁获得了影帝。
Liú Yàrén huòdéle yǐngdì.

影帝 yǐngdì 영화 황제(스크린 황제), 남우주연상을 받았거나 최고로 공인된 남자 배우를 가리키는 칭호

0830

李多海演什么我就看什么。
Lǐ Duōhǎi yǎn shénme wǒ jiù kàn shénme.

演 yǎn 공연하다, 연기하다

0826

내 배우가 나와서 혹은 구미 당기는 스토리여서

이 드라마 정말 기대돼.

0827

'大火' 대신 '대박'을 의미하는 신조어 '大发'를 쓰기도 해요

드라마 대박나길!

0828

'时隔+기간'으로 '~만에/~만의' 표현을 합니다

8개월 만의 새 작품이야.

0829

여자 배우의 경우 '影后(영화 황후, 스크린 황후)'로 써요

유아인이 남우주연상 받았어.

0830

믿고 보는 배우일 경우

이다해가 연기하는 건 다 봐.

0831

演技真的好棒!
Yǎnjì zhēnde hǎo bàng!

演技 yǎnji 연기, 연기력

0832

真是实力派啊。
Zhēnshi shílìpài a.

实力派 shílìpài 실력파

0833

演技大爆发!
Yǎnjì dà bàofā!

爆发 bàofā 폭발하다

0834

池昌旭演得太赞了。
Chí Chāngxù yǎn de tài zàn le.

赞 zàn '称赞(칭찬)'의 '赞'. 인터넷에서 만족스럽거나 지지하고 싶은 대상을 보았을 때 사용하는 표현

0835

老戏骨确实不一样。
Lǎoxìgǔ quèshí bù yíyàng.

老戏骨 lǎoxìgǔ 경력이 오래된 연기파 배우 | 确实 quèshí 확실히, 정말로

191

0831 ☐ ☐ ☐

연기가 연기로 느껴지지 않을 때

연기 진짜 최고다!

0832 ☐ ☐ ☐

'연기파'는 '演技派'로 표현해요

진짜 실력파라니까.

0833 ☐ ☐ ☐

인생작 만난 듯

연기력 폭발!

0834 ☐ ☐ ☐

'太赞了'는 '너무 멋지다/짱이다/최고다' 등 다양하게 표현돼요

지창욱 연기 진짜 짱이다.

0835 ☐ ☐ ☐

'신세대 연기자'는 '新生代演员'으로 표현합니다

베테랑 연기자는 역시 달라.

0836

□ □ □

饭拍
fànpāi

饭 fàn 팬, 영어 'fan'에서 나온 말

0837

□ □ □

彩排饭拍
cǎipái fànpāi

彩排 cǎipái 리허설하다, 예행연습하다

0838

□ □ □

机场饭拍
jīchǎng fànpāi

0839

□ □ □

饭拍视频
fànpāi shìpín

0840

□ □ □

动图
dòngtú

动图 dòngtú 움직이는 사진

0836 ☐ ☐ ☐

주로 현장에서 팬이 직접 찍은 '직찍'을 의미해요

팬이 찍은 사진

0837 ☐ ☐ ☐

리허설 현장에서 직접 찍은 사진

리허설 직찍

0838 ☐ ☐ ☐

스타의 출국 혹은 귀국길에 찍은 사진

공항 직찍

0839 ☐ ☐ ☐

팬이 직접 찍은 영상

직캠

0840 ☐ ☐ ☐

넋 놓고 계속 보게 되는

움짤

新闻图
xīnwéntú

新闻 xīnwén 뉴스, 기사 | 图 tú 그림, 사진

高清图
gāoqīngtú

高清 gāoqīng 고화질

采访图
cǎifǎngtú

采访 cǎifǎng 인터뷰하다, 취재하다

未修的原图
wèi xiū de yuántú

未 wèi 아직 ~하지 않다 | 修 xiū 손질하다, 꾸미다 | 原图 yuántú 원그림, 원본 사진

转载请注明出处。
Zhuǎnzǎi qǐng zhùmíng chūchù.

转载 zhuǎnzǎi 옮겨 싣다, 퍼가다 | 注明 zhùmíng 주를 달아 밝히다 | 出处 chūchù 출처

0841 □ □ □

기사에 실린 사진

기사 컷

0842 □ □ □

화질 좋고 선명한 사진

고화질 컷

0843 □ □ □

보통 사진 기자들이 찍은 사진

인터뷰 컷

0844 □ □ □

포토샵을 거치기 전의 원본 사진

보정 안 한 원본

0845 □ □ □

퍼가는 자가 지켜야 할 기본 매너

가져갈 땐 출처를 밝혀 주세요.

0846

大家看直播了吗?
Dàjiā kàn zhíbō le ma?

直播 zhíbō 생중계(하다), 생방송, 본방

0847

谁有清晰的视频?
Shéi yǒu qīngxī de shìpín?

清晰 qīngxī 또렷하다, 선명하다

0848

请大家积极投票。
Qǐng dàjiā jījí tóupiào.

积极 jījí 적극적이다, 열성적이다 | **投票** tóupiào 투표하다

0849

请大家多多分享。
Qǐng dàjiā duōduō fēnxiǎng.

分享 fēnxiàng 함께 나누다, 공유하다

0850

官方fanclub3期招募!
Guānfāng fanclub sān qī zhāomù!

招募 zhāomù 모집하다

0846

☐ ☐ ☐

'재방'은 '重播'로 표현해요

다들 생방 보셨어요?

0847

☐ ☐ ☐

'고화질 직찍'을 원하면 '清晰的饭拍'로 표현하면 되겠죠?

고화질 영상 있는 분?

0848

☐ ☐ ☐

한국 스타를 향한 중국 팬의 투표 전쟁도 대단합니다

열심히 투표해 주세요.

0849

☐ ☐ ☐

응원을 원하면, '分享' 대신 '支持(응원, 지지)'를!

많이 공유해 주세요.

0850

☐ ☐ ☐

팬클럽은 '粉丝团'으로 표현하기도 합니다

공식 팬클럽 3기 모집!

망각방지 장치 1

하루만 지나도 학습한 내용의 50%가 머릿속에서 도망가 버린다는 사실! 과연 여러분은? 5분 안에 아래의 25개를 말해 보세요. 아침에 한 번 했다면, 저녁에 또 한 번!

○ ✕ 복습

01	신곡 넘나 좋은 것.	新歌超级	。 □ □ 0801
02	무대 위의 오빠는 매력 만점.	舞台上的 魅力四射。	□ □ 0803
03	얼른 컴백했으면 좋겠다.	希望早点 吧。	□ □ 0806
04	메이킹 필름 백번 봐도 안 질려!	花絮实在是 ！	□ □ 0808
05	음원 나왔다.	出来了。	□ □ 0811
06	두 번째 정규 앨범 나왔어.	发行了第二张正规 。	□ □ 0812
07	드디어 신곡 나왔어.	终于发 了。	□ □ 0813
08	공식 응원법 나왔어.	应援方法出来了。	□ □ 0814
09	아시아 투어가 시작됐다!	开始了！	□ □ 0817
10	공연 시간 변경됐어.	时间有变动。	□ □ 0818
11	그 걸그룹 해체했어.	那个女团 了。	□ □ 0819
12	에프엑스의 리더는 빅토리아.	f(x)的 是宋茜。	□ □ 0821
13	탑은 빅뱅의 비주얼 담당.	TOP是BIGBANG的门面 。	□ □ 0824

정답 01 好听 02 欧巴 03 回归 04 百看不厌 05 音源 06 专辑 07 新曲 08 官方 09 亚巡 10 演出
11 解散 12 队长 13 担当

14	미쓰에이는 중국인 멤버가 한 명이야.	missA里有一个中国 。 ☐ ☐	0825
15	8개월 만의 새 작품이야.	这是　　　　8个月的新作品。 ☐ ☐	0828
16	유아인이 남우주연상 받았어.	刘亚仁获得了 。 ☐ ☐	0829
17	진짜 실력파라니까.	真是　　　　啊。 ☐ ☐	0832
18	지창욱 연기 진짜 짱이다.	池昌旭演得太 了。 ☐ ☐	0834
19	베테랑 연기자는 역시 달라.	确实不一样。 ☐ ☐	0835
20	리허설 직찍	饭拍 ☐ ☐	0837
21	고화질 컷	图 ☐ ☐	0842
22	가져갈 땐 출처를 밝혀 주세요.	请注明出处。 ☐ ☐	0845
23	다들 생방 보셨어요?	大家看　　　　了吗? ☐ ☐	0846
24	많이 공유해 주세요.	请大家多多 。 ☐ ☐	0849
25	공식 팬클럽 3기 모집!	官方fanclub3期 ! ☐ ☐	0850

맞은 개수: **25개 중** ____ **개**

당신은 그동안 ____%를 잊어버렸습니다.

틀린 문장들은 다시 한번 보고 넘어가세요.

정답 14 成员　15 时隔　16 影帝　17 实力派　18 赞　19 老戏骨　20 彩排　21 高清　22 转载　23 直播
24 分享　25 招募

🔊 0851~0855.mp3

0851

什么时候有粉丝见面会?

Shénme shíhou yǒu fěnsī jiànmiànhuì?

粉丝 fěnsī 팬, 영어 'fans'를 음역해서 표현한 말 | 见面会 jiànmiànhuì 팬미팅

0852

见面会倒计时2天。

Jiànmiànhuì dàojìshí liǎng tiān.

倒计时 dàojìshí 초읽기 하다, 카운트다운

0853

座位图终于出来了。

Zuòwèitú zhōngyú chūlái le.

座位 zuòwèi 좌석, 자리

0854

票几秒就卖光了。

Piào jǐ miǎo jiù màiguāng le.

秒 miǎo 초(시간의 단위) | 卖光 màiguāng 매진되다, 다 팔리다

0855

求见面会门票!

Qiú jiànmiànhuì ménpiào!

门票 ménpiào 입장권

201

0851 □ □ □

팬미팅 소식이 없어 궁금할 때

언제 팬미팅을 할까?

0852 □ □ □

디데이는 '倒计时+숫자'로 표현해요

팬미팅 D-2.

0853 □ □ □

좌석 확인하기

좌석 배치도 드디어 나왔어.

0854 □ □ □

티켓팅은 하늘의 별 따기

티켓 몇 초 만에 전부 매진됐어.

0855 □ □ □

'求+필요한 것(요청하고 싶은 것)' 형태로 쓰이곤 해요

팬미팅 티켓 구함!

0856 ☐ ☐ ☐

签名会开始了。
Qiānmínghuì kāishǐ le.

签名会 qiānmínghuì 사인회

0857 ☐ ☐ ☐

拿到了限量版签名专辑！
Nádàole xiànliàngbǎn qiānmíng zhuānjí!

拿到 nádào 손에 넣다, 받다 | 限量版 xiànliàngbǎn 한정판

0858 ☐ ☐ ☐

歌迷们都特别热情。
Gēmímen dōu tèbié rèqíng.

歌迷 gēmí 가수의 팬 | 热情 rèqíng 열정적이다, 친절하다

0859 ☐ ☐ ☐

一定要死守直播。
Yídìng yào sǐshǒu zhíbō.

死守 sǐshǒu 사수하다, 필사적으로 지키다

0860 ☐ ☐ ☐

拿起遥控器，锁定tvN。
Náqǐ yáokòngqì, suǒdìng tvN.

拿起 náqǐ 손에 잡다, 들다 | 遥控器 yáokòngqì 리모컨 | 锁定 suǒdìng 고정하다

0856

'签名会' 대신 '见面会', '演唱会(콘서트)' 등 활용 가능

사인회 시작했어.

0857

'拿到了+물건'으로 손에 넣은 무언가를 표현할 수 있어요

한정판 사인 앨범 생겼다!

0858

배우나 영화 팬은 '影迷'로 표현해요

팬들이 엄청 열정적이야.

0859

한류 팬이 많아지면서 '死守直播'라는 표현이 탄생했어요

반드시 본방사수!

0860

'tvN' 자리에 다양한 채널 이름을 넣을 수 있어요

리모컨 들고 tvN 고정.

네이티브들이 매일 쓰는
이 중국어, 무슨 뜻일까요?

🎧 0861~0865.mp3

☐ ☐ ☐

0861

还在韩国拍戏。
Hái zài Hánguó pāixì.

拍戏 pāixì (영화나 드라마를) 촬영하다

☐ ☐ ☐

0862

正在上海热拍。
Zhèngzài Shànghǎi rèpāi.

热拍 rèpāi 한창 촬영하고 있다

☐ ☐ ☐

0863

正在接受媒体群访。
Zhèngzài jiēshòu méitǐ qúnfǎng.

媒体 méitǐ 대중 매체, 언론 | 群访 qúnfǎng 단체로 하는 인터뷰

☐ ☐ ☐

0864

在拍摄画报。
Zài pāishè huàbào.

画报 huàbào 화보

☐ ☐ ☐

0865

拍了很多广告。
Pāile hěn duō guǎnggào.

广告 guǎnggào 광고

205

0861 ☐ ☐ ☐

'韩国' 대신 다양한 지역 이름을 넣을 수 있어요

아직도 한국에서 촬영 중.

0862 ☐ ☐ ☐

촬영이 한창 진행 중일 땐 '热拍'로 표현해요

상하이에서 한창 촬영 중.

0863 ☐ ☐ ☐

다양한 매체들과 한꺼번에 진행하는 인터뷰

매체 인터뷰 중.

0864 ☐ ☐ ☐

잡지 촬영 중일 때는 '画报' 대신 '杂志'를 씁니다

화보 촬영 중.

0865 ☐ ☐ ☐

광고를 많이 찍을수록 '身价(몸값)'가 올라가죠

광고 많이 찍었어.

0866

朴宝剑担任了主持人。

Piáo Bǎojiàn dānrènle zhǔchírén.

担任 dānrèn 맡다, 담당하다 | **主持人** zhǔchírén 사회자, MC

0867

最近参加了很多综艺节目。

Zuìjìn cānjiāle hěn duō zōngyì jiémù.

参加 cānjiā 참가하다, 참여하다 | **综艺节目** zōngyì jiémù 예능 프로그램

0868

今天出席了制作发布会。

Jīntiān chūxíle zhìzuò fābùhuì.

出席 chūxí 참석하다 | **制作** zhìzuò 제작하다 | **发布会** fābùhuì 발표회

0869

今天正式杀青了!

Jīntiān zhèngshì shāqīng le!

正式 zhèngshì 정식으로, 공식으로 | **杀青** shāqīng 촬영을 완료하다

0870

写真集开始发售了!

Xiězhēnjí kāishǐ fāshòu le!

写真集 xiězhēnjí 사진집, 화보집 | **发售** fāshòu 발매하다, 팔기 시작하다

0866 ☐ ☐ ☐

'게스트'는 '嘉宾'이라고 해요

박보검이 MC 맡았어.

0867 ☐ ☐ ☐

예능 프로는 간단히 '综艺' 두 글자로도 표현해요

요즘 예능 프로 출연도 많아짐.

0868 ☐ ☐ ☐

'기자 회견'은 '新闻发布会'로 표현합니다

오늘 제작 발표회에 참석했어.

0869 ☐ ☐ ☐

'杀青'은 영화나 드라마 촬영을 전부 마쳤을 때 써요

오늘 정식으로 촬영 끝!

0870 ☐ ☐ ☐

이민호 화보집은 중국에서도 인기더라고요

화보집 발매 시작함!

0871

我是一个追星族。
Wǒ shì yí ge zhuīxīngzú.

追星族 zhuīxīngzú 스타를 따라다니는(좋아하는) 사람들, 오빠(누나) 부대

0872

我是李易峰的韩饭。
Wǒ shì Lǐ Yìfēng de Hánfàn.

李易峰 Lǐ Yìfēng 이역봉(리이펑, 중국 배우) | 韩饭 Hánfàn '韩国饭(한국 팬)'의 약칭

0873

我是你的头号粉丝。
Wǒ shì nǐ de tóuhào fěnsī.

头号 tóuhào 첫째의, 넘버원

0874

我是李敏镐的真爱粉。
Wǒ shì Lǐ Mǐnhào de zhēn ài fěn.

真爱 zhēn ài 진정으로(진실로) 사랑하다 | 粉 fěn '粉丝(팬)'의 약칭

0875

我是神话的铁杆粉。
Wǒ shì Shénhuà de tiěgǎnfěn.

铁杆 tiěgǎn 쇠막대기 모양의 물건을 의미하나, '확실히 믿을 만한 사람, 흔들림 없는 사람'을 비유하기도 함

0871

☐ ☐ ☐

스타 이야기를 하면 중국 친구들이 꼭 '追星族'냐고 묻더라고요

전 스타를 좋아하는 팬입니다.

0872

☐ ☐ ☐

요즘 중국에서 대세인 훈남 배우

전 이역봉의 한국 팬이에요.

0873

☐ ☐ ☐

팬심 100%

전 당신의 1호 팬입니다.

0874

☐ ☐ ☐

중국에서 이민호의 인기는 어마어마합니다

전 이민호를 진짜 사랑하는 팬입니다.

0875

☐ ☐ ☐

네, 제 얘깁니다

전 신화의 골수팬입니다.

0876~0880.mp3

依旧帅气！
Yījiù shuàiqi!

依旧 yījiù 여전히

真是让人着迷。
Zhēnshi ràng rén zháomí.

着迷 zháomí 반하다, 빠지다

可爱炸了。
Kě'ài zhà le.

可爱 kě'ài 귀엽다 | 炸 zhà 터지다, 폭발하다

笑起来要人命了。
Xiàoqǐlai yào rénmìng le.

人命 rénmìng 인명, 사람의 목숨

感觉心脏受到了暴击。
Gǎnjué xīnzàng shòudàole bàojī.

心脏 xīnzàng 심장 | 受到 shòudào 받다, 입다 | 暴击 bàojī 어택, 타격

211

0876

예쁠 땐 '漂亮', 아름다울 땐 '美丽'

여전히 멋있구나!

0877

직역하면 '진짜 반하게 만든다'가 되겠죠

이러니 내가 반하지.

0878

귀여움이 넘쳐 폭발할 듯

귀염 터진다.

0879

웃는 모습이 '사람 잡을(要人命)' 때

웃는 모습이 죽음이야.

0880

간단하게 '심장 어택(心脏暴击)'으로도 표현해요

심장 어택 당한 듯.

🔊 0881~0885.mp3

0881

美得令人嫉妒。

Měi de lìng rén jídù.

令 lìng ~하게 하다

0882

背影都帅呆了。

Bèiyǐng dōu shuàidāi le.

背影 bèiyǐng 뒷모습 | 帅呆 shuàidāi 정말 멋있다

0883

真是太养眼了。

Zhēnshi tài yǎngyǎn le.

养眼 yǎngyǎn 눈을 보양하다, 눈이 호강하다

0884

抑制不住的少女心。

Yìzhìbuzhù de shàonǚxīn.

抑制 yìzhì 억제하다, 억누르다 | 少女心 shàonǚxīn 소녀 같은 마음, 소녀 감성

0885

感谢你唱歌给我们听。

Gǎnxiè nǐ chànggē gěi wǒmen tīng.

0881 □ □ □

샘날 만큼 예쁠 때

질투 나게 아름다워.

0882 □ □ □

등에도 잘생김이 묻었어요

뒷모습도 짱 멋있음.

0883 □ □ □

예쁘거나 잘생겨서, 보고 있으면 눈이 즐거울 때

진짜 눈이 호강한다.

0884 □ □ □

팬심은 국경도, 나이도 넘는다죠

컨트롤 안 되는 소녀 마음.

0885 □ □ □

음악으로 귀가 호강할 땐 '养耳'을 쓰기도 해요

우리에게 노랠 들려줘서 감사해요.

🔊 0886~0890.mp3

0886

□ □ □

时隔三年回归大银幕。
Shí gé sān nián huíguī dà yínmù.

银幕 yínmù 스크린, 영사막

0887

□ □ □

时隔两年回归荧屏。
Shí gé liǎng nián huíguī yíngpíng.

荧屏 yíngpíng 텔레비전 스크린, 브라운관

0888

□ □ □

发行新专辑回归歌坛。
Fāxíng xīn zhuānjí huíguī gētán.

歌坛 gētán 가요계

0889

□ □ □

刷新收视率纪录。
Shuāxīn shōushìlǜ jìlù.

刷新 shuāxīn 갱신하다, 쇄신하다 | 收视率 shōushìlǜ 시청률 | 纪录 jìlù 기록, 최고 성적

0890

□ □ □

收视率小幅上升。
Shōushìlǜ xiǎofú shàngshēng.

小幅 xiǎofú 소폭, 약간 | 上升 shàngshēng 상승하다, 올라가다

0886

□ □ □

내 배우가 오랜만에 영화를 찍을 때

3년 만의 스크린 복귀.

0887

□ □ □

내 배우가 오랜만에 안방 극장을 찾아올 때

2년 만의 브라운관 복귀.

0888

□ □ □

'歌坛' 대신 '乐坛(음악계)'을 쓰기도 해요

새 앨범으로 가요계 컴백.

0889

□ □ □

역대 최고 시청률을 올렸을 때

시청률 새로 쓰다.

0890

□ □ □

조금씩이지만 시청률이 오르고 있을 때

시청률 소폭 상승.

0891

三胞胎确定下车。
Sānbāotāi quèdìng xiàchē.

三胞胎 sānbāotāi 세 쌍둥이, 삼둥이 ┃ 下车 xiàchē 하차하다, 차에서 내리다

0892

确认加盟《新西游记2》。
Quèrèn jiāméng 《Xīn Xīyóu Jì èr》.

确认 quèrèn 명확히 확인하다 ┃ 加盟 jiāméng (단체 등에) 가입하다, 입단하다

0893

正式宣布回归。
Zhèngshì xuānbù huíguī.

宣布 xuānbù 선언하다, 발표하다

0894

公开超近距离自拍照。
Gōngkāi chāojìn jùlí zìpāizhào.

公开 gōngkāi 공개하다 ┃ 超近 chāojìn 초근접, 무척 가깝다 ┃ 距离 jùlí 거리, 간격 ┃
自拍照 zìpāizhào 셀카, 셀피

0895

世界巡演大获成功。
Shìjiè xúnyǎn dà huò chénggōng.

0891

'대한·민국·만세 삼둥이'를 '三胞胎'로 표현해요

삼둥이 하차 확정.

0892

'합류' 소식을 전할 때 '加盟'을 씁니다

〈신서유기2〉 합류 확정.

0893

오랜 공백기를 가진 스타의 컴백 소식

정식 복귀 선언.

0894

주로 스타의 인스타나 트위터를 보고 쓴 기사

초근접 셀카 공개.

0895

가수들의 콘서트가 끝나면 잘 보이는 표현

월드 투어 대성황.

0896

华丽阵容公开。

Huálì zhènróng gōngkāi.

华丽 huálì 화려하다 | 阵容 zhènróng 라인업, 진용

0897

与Keyeast合约期满。

Yǔ Keyeast héyuē qīmǎn.

与 yǔ ~와 | 合约 héyuē 계약, 협의 | 期满 qīmǎn 기한이 만료되다

0898

正式签约Keyeast。

Zhèngshì qiānyuē Keyeast.

签约 qiānyuē (계약서 등에) 사인하다, 계약을 맺다

0899

与金秀贤成同门。

Yǔ Jīn Xiùxián chéng tóngmén.

同门 tóngmén 동문

0900

正式进军综艺。

Zhèngshì jìnjūn zōngyì.

进军 jìnjūn 나아가다, 진출하다

219

0896

□ □ □

캐스팅 소식을 전할 때 주로 쓰는 표현

화려한 라인업 공개.

0897

□ □ □

'소속사(经纪公司)'와 전속 계약 만료 시 뜨는 기사

키이스트와 계약 만료.

0898

□ □ □

새로운 소속사에 둥지를 틀 때 뜨는 기사

키이스트와 정식 계약.

0899

□ □ □

중국에서는 '成同门(동문이 되다)'으로 표현합니다

김수현과 한솥밥.

0900

□ □ □

본격적인 예능 출연을 알리는 기사

정식 예능 진출.

망각방지 장치 1

하루만 지나도 학습한 내용의 50%가 머릿속에서 도망가 버린다는 사실! 과연 여러분은? 5분 안에 아래의 25개를 말해 보세요. 아침에 한 번 했다면, 저녁에 또 한 번!

○ ✕ 복습

01 팬미팅 D-2. 　见面会 　2天。 ☐ ☐ 0852

02 티켓 몇 초 만에 전부 매진됐어. 　票几秒就 　了。 ☐ ☐ 0854

03 팬미팅 티켓 구함! 　见面会门票! ☐ ☐ 0855

04 사인회 시작했어. 　开始了。 ☐ ☐ 0856

05 반드시 본방 사수! 　一定要 　直播。 ☐ ☐ 0859

06 리모컨 들고 tvN 고정. 　拿起遥控器, 　tvN。 ☐ ☐ 0860

07 상하이에서 한창 촬영 중. 　正在上海 　。 ☐ ☐ 0862

08 광고 많이 찍었어. 　拍了很多 　。 ☐ ☐ 0865

09 박보검이 MC 맡았어. 　朴宝剑担任了 　。 ☐ ☐ 0866

10 오늘 정식으로 촬영 끝! 　今天正式 　了! ☐ ☐ 0869

11 전 스타를 좋아하는 팬입니다. 　我是一个 　。 ☐ ☐ 0871

12 전 당신의 1호 팬입니다. 　我是你的 　粉丝。 ☐ ☐ 0873

13 전 신화의 골수팬입니다. 　我是神话的 　粉。 ☐ ☐ 0875

정답 01 倒计时 02 卖光 03 求 04 签名会 05 死守 06 锁定 07 热拍 08 广告 09 主持人 10 杀青
11 追星族 12 头号 13 铁杆

14 귀염 터진다.   可爱   了。 ☐ ☐ `0878`

15 웃는 모습이 죽음이야.   笑起来要   了。 ☐ ☐ `0879`

16 심장 어택 당한 듯.   感觉   受到了暴击。 ☐ ☐ `0880`

17 진짜 눈이 호강한다.   真是太   了。 ☐ ☐ `0883`

18 컨트롤 안 되는 소녀 마음.   不住的少女心。 ☐ ☐ `0884`

19 새 앨범으로 가요계 컴백.   发行新专辑回归   。 ☐ ☐ `0888`

20 시청률 새로 쓰다.   收视率纪录。 ☐ ☐ `0889`

21 삼둥이 하차 확정.   三胞胎确定   。 ☐ ☐ `0891`

22 〈신서유기2〉 합류 확정.   确认   《新西游记2》。 ☐ ☐ `0892`

23 화려한 라인업 공개.   华丽   公开。 ☐ ☐ `0896`

24 키이스트와 정식 계약.   正式   Keyeast。 ☐ ☐ `0898`

25 김수현과 한솥밥.   与金秀贤成   。 ☐ ☐ `0899`

맞은 개수: **25개 중** _____ **개**

당신은 그동안 _____%를 잊어버렸습니다.
틀린 문장들은 다시 한번 보고 넘어가세요.

정답 14 炸 15 人命 16 心脏 17 养眼 18 抑制 19 歌坛 20 刷新 21 下车 22 加盟 23 阵容
24 签约 25 同门

망각방지 **2**
장 치

일주일이 지나면 학습한 내용의 70%를 잊어버립니다. 여러분은 몇 퍼센트나 기억하고 있을까요? 대화문으로 확인해 보세요.

081 좋아하는 가수의 신곡 음원을 듣고 나서

🎧 huihua 081.mp3

A　음원 나왔어! 0811 你听过了吗？
　　Nǐ tīngguo le ma?

B　还没有呢，好听吗？
　　Hái méiyǒu ne, hǎotīng ma?

A　신곡 넘나 좋은 것! 0801

B　果然没辜负我们的期望。
　　Guǒrán méi gūfù wǒmen de qīwàng.

- -

● 辜负 gūfù (호의나 기대 등을) 헛되게 하다, 저버리다

082 좋아하는 배우의 드라마 촬영 소식을 들었을 때

🎧 huihua 082.mp3

A　听说池昌旭打算拍一部电视剧。
　　Tīngshuō Chí Chāngxù dǎsuàn pāi yí bù diànshìjù.

B　真的吗？我很喜欢他，연기 진짜 최고야! 0831
　　Zhēnde ma? Wǒ hěn xǐhuan tā,

A　对，演得太赞了。이 드라마 정말 기대돼. 0826
　　Duì, yǎn de tài zàn le.

B　到时候一起死守直播吧！
　　Dàoshíhou yìqǐ sǐshǒu zhíbō ba!

081

A　**音源出来了!** 0811 들어 봤어?
　　Yīnyuán chūlái le!

B　아직 못 들었어, 좋아?

A　**新歌超级好听!** 0801
　　Xīngē chāojí hǎotīng!

B　역시 우리의 기대를 저버리지 않았어.

082

A　지창욱 드라마 하나 찍을 계획이래.

B　진짜? 나 지창욱 좋아하는데. **演技真的好棒!** 0831
　　　　　　　　　　　　　　　　　Yǎnjì zhēnde hǎo bàng!

A　맞아, 연기 진짜 짱이지. **太期待这部剧了。** 0826
　　　　　　　　　　　　　Tài qīdài zhè bù jù le.

B　그때 같이 본방사수하자!

🎧 huihua 083.mp3

A　你看，这个움짤 ₀₈₄₀ 太可爱了。
　　Nǐ kàn, zhège　　　　　tài kě'ài le.

B　哇，这是谁做的啊？ 做得真好！
　　Wā, zhè shì shéi zuò de a? Zuò de zhēn hǎo!

A　还有，听说最近화보 촬영 중。 ₀₈₆₄
　　Hái yǒu, tīngshuō zuìjìn

B　哇，我要买! 我要买!
　　Wā, wǒ yào mǎi!　Wǒ yào mǎi!

🎧 huihua 084.mp3

A　你知道吗？ 공연 시간 변경됐어。 ₀₈₁₈
　　Nǐ zhīdào ma?

B　真的吗？ 几点？
　　Zhēnde ma? Jǐ diǎn?

A　晚上八点。 还有공식 응원법 나왔어. ₀₈₁₄
　　Wǎnshang bā diǎn. Háiyǒu

B　果然是顺风耳啊。
　　Guǒrán shì shùnfēng'ěr a.

• 顺风耳 shùnfēng'ěr 소식통, 새 소식에 밝은 사람

A 이것 봐, 이 **动图**⁰⁸⁴⁰ 너무 귀엽지.
　　dòngtú

B 와, 이거 누가 만든 거야? 진짜 잘 만들었다!

A 그리고 요즘 **在拍摄画报**⁰⁸⁶⁴이래.
　　zài pāishè huàbào

B 와, 나 살래! 나 살래!

A 너 그거 알아? **演出时间有变动。**⁰⁸¹⁸
　　Yǎnchū shíjiān yǒu biàndòng.

B 진짜? 몇 시?

A 저녁 8시. 그리고 **官方应援方法出来了。**⁰⁸¹⁴
　　guānfāng yìngyuán fāngfǎ chūlái le.

B 역시 소식통이라니까.

A 　喂，你在哪儿?
　　　Wéi, nǐ zài nǎr?

B 　我在商场，사인회 시작했어.⁰⁸⁵⁶ 你怎么还没来?
　　　Wǒ zài shāngchǎng,　　　　　　　　Nǐ zěnme hái méi lái?

A 　我这儿堵车。签名会的气氛怎么样?
　　　Wǒ zhèr dǔchē. Qiānmínghuì de qìfēn zěnmeyàng?

B 　很好，팬들이 엄청 열정적이야.⁰⁸⁵⁸
　　　Hěn hǎo,

- **商场** shāngchǎng 쇼핑센터, 쇼핑몰　**堵车** dǔchē 교통이 꽉 막히다　**气氛** qìfēn 분위기

A 　哇，朴宝剑광고 많이 찍었다.⁰⁸⁶⁵
　　　Wā, Piáo Bǎojiàn

B 　最近他不是很受欢迎吗?
　　　Zuìjìn tā bú shì hěn shòu huānyíng ma?

A 　看来요즘 예능 프로 출연도 많아졌어.⁰⁸⁶⁷
　　　Kànlái

B 　真是魅力四射啊!
　　　Zhēnshi mèilì sìshè a!

- **受欢迎** shòu huānyíng 인기 있다, 환영 받다

A 여보세요, 어디야?

B 나 쇼핑몰이야, **签名会开始了。**⁰⁸⁵⁶ 너 왜 여태 안 와?
　　qiānmínghuì kāishǐ le.

A 나 여기 차 밀려. 사인회 분위기 어때?

B 좋아, **歌迷们都特别热情。**⁰⁸⁵⁸
　　gēmímen dōu tèbié rèqíng.

A 와, 박보검 **拍了很多广告。**⁰⁸⁶⁵
　　pāile hěn duō guǎnggào.

B 요즘 인기 많잖아.

A 보니까 **最近参加了很多综艺节目。**⁰⁸⁶⁷
　　zuìjìn cānjiāle hěn duō zōngyì jiémù.

B 진짜 매력 만점이라니까!

🎧 huihua 087.mp3

A 李易峰回国了吗?
　　Lǐ Yìfēng huíguó le ma?

B 还没有，听说아직도 한국에서 촬영 중。⁰⁸⁶¹ 你喜欢他?
　　Hái méiyǒu, tīngshuō　　　　　　　　　　　　　　Nǐ xǐhuan tā?

A 喜欢，웃는 모습이 죽음이야。⁰⁸⁷⁹ 我真想见他一面。
　　Xǐhuan,　　　　　　　　　　　　　　　Wǒ zhēn xiǎng jiàn tā yí miàn.

B 哎哟，那你应该好好学习汉语。
　　Āiyō, nà nǐ yīnggāi hǎohǎo xuéxí Hànyǔ.

🎧 huihua 088.mp3

A 你好! 저는 당신의 한국 팬이에요!⁰⁸⁷²
　　Nǐ hǎo!

B 你好，谢谢你喜欢我。
　　Nǐ hǎo, xièxie nǐ xǐhuan wǒ.

A 우리에게 노랠 들려주셔서 감사합니다!⁰⁸⁸⁵

B 以后我会更加努力的，谢谢。
　　Yǐhòu wǒ huì gèngjiā nǔlì de, xièxie.

• 更加 gèngjiā 더욱, 더, 훨씬

A 이역봉 귀국했어?

B 아직 안 했어, **还在韩国拍戏** ⁰⁸⁶¹ 이래. 너 그 사람 좋아해?
  hái zài Hánguó pāixì.

A 좋아하지, **笑起来要人命了。** ⁰⁸⁷⁹ 한 번만 만나 봤음 좋겠다.
  xiàoqǐlai yào rénmìng le.

B 아이고, 그럼 너 중국어 공부 열심히 해야겠다.

A 안녕하세요! **我是你的韩饭!** ⁰⁸⁷²
  Wǒ shì nǐ de Hánfàn!

B 안녕하세요, 좋아해 줘서 고마워요.

A **感谢你唱歌给我们听!** ⁰⁸⁸⁵
  Gǎnxiè nǐ chànggē gěi wǒmen tīng!

B 앞으로 더 열심히 할게요, 고맙습니다.

🎧 huihua 089.mp3

A 你看这个新闻，'三胞胎하차 확정'。⁰⁸⁹¹
   Nǐ kàn zhège xīnwén, 'sānbāotāi

B 天哪，不行！我最爱的大韩、民国、万岁！
   Tiān na, bùxíng!　Wǒ zuì ài de Dàhán、Mínguó、Wànsuì!

A 就是。每次都리모컨 들고,⁰⁸⁶⁰ 锁定频道呢。
   Jiùshì.　Měicì dōu　　　　　　　suǒdìng píndào ne.

B 啊，太舍不得了。
   À, tài shěbude le.

• 频道 píndào 채널　舍不得 shěbude 헤어지기 섭섭하다. 이별을 아쉬워하다

🎧 huihua 090.mp3

A '请回答1988，시청률 새로 쓰다'？⁰⁸⁸⁹ 哇，这么厉害。
   'Qǐng huídá yī jiǔ bā bā,　　　　　Wā, zhème lìhai.

B 请回答1988真好看，难道你没看过吗？
   Qǐng huídá yī jiǔ bā bā zhēn hǎokàn, nándào nǐ méi kànguo ma?

A 没看过呢。
   Méi kànguo ne.

B 有空就看看，演员们都演得很好。
   Yǒu kòng jiù kànkan, yǎnyuánmen dōu yǎn de hěn hǎo.
   베테랑 연기자는 역시 다르다니까.⁰⁸³⁵

A   이 기사 봐 봐, '삼둥이 **确定下车**'. 0891
　　　　　　　　　quèdìng xiàchē

B   오 마이 갓, 안 돼! 내가 제일 사랑하는 대한·민국·만세!

A   그러니까. 매번 **拿起遥控器,** 0860 채널 고정했는데.
　　　　　　náqǐ yáokòngqì

B   아, 너무 아쉽다.

A   '응답하라 1988, **刷新收视率记录**'? 0889 와, 이렇게
　　　　　　　　　shuāxīn shōushìlǜ jìlù

　　대단할 줄이야.

B   응답하라 1988 진짜 재밌어, 너 설마 본 적 없어?

A   본 적 없어.

B   시간 있으면 봐 봐. 배우들 연기 정말 잘해.

　　老戏骨确实不一样。 0835
　　Lǎoxìgǔ quèshí bù yíyàng.

네이티브가
SNS · 인터넷에서
자주 쓰는 표현 100

Part 10 전체 듣기

인터넷의 발달로 중국 역시
신조어와 유행어가 넘쳐 납니다.
특히 중국의 젊은 친구들과 대화를 할 때는
신조어 및 유행어가 양념 역할을 톡톡히 해 주지요.
SNS 필수 표현부터 매일같이 생겨나는 수많은 신조어들!
그중에서도 가장 잘 쓰이고, 또 우리가 잘 활용할 수 있는
알짜배기 표현들만 모아 봤습니다.

你玩微信(WeChat)吗?

Nǐ wán Wēixìn ma?

중국에서 '微信(위챗, 웨이신)'을 모르면 간첩일 만큼 많은 중국인들이 쓰고 있는 소셜 네트워크 서비스로,
중국 친구를 사귀려면 위챗은 필수이다.

微信号是多少?

Wēixìn hào shì duōshao?

微信号 wēixìn hào 위챗 아이디

我玩KakaoTalk。

Wǒ wán KakaoTalk.

刚刚下载了KakaoTalk。

Gānggāng xiàzǎile KakaoTalk.

下载 xiàzǎi 다운로드하다

我的账号是123。

Wǒ de zhànghào shì 'yīèrsān'.

账号 zhànghào (인터넷에서 쓰는) 계정, 아이디

0901

☐ ☐ ☐

'有微信号吗? (위챗 아이디 있어?)'로 묻기도 해요

너 위챗 해?

0902

☐ ☐ ☐

위챗으로 '친추'하고 싶을 때

위챗 아이디 뭐야?

0903

☐ ☐ ☐

한국의 영향으로 '카톡'을 쓰는 중국인도 있어요

나 카카오톡 해.

0904

☐ ☐ ☐

방금 다운로드한 어플을 이야기할 때

방금 카톡 깔았어.

0905

☐ ☐ ☐

카톡이나 기타 SNS 아이디를 알려줄 때

내 아이디는 123이야.

0906~0910.mp3

 0906

上不了脸书。
Shàngbuliǎo Liǎnshū.

上 shàng (인터넷에) 접속하다, 들어가다 ㅣ 不了 buliǎo ~할 수가 없다 ㅣ
脸书 Liǎnshū '페이스북(Facebook)'의 중국 명칭

 0907

刚刚注册了FB。
Gānggāng zhùcèle FB.

注册 zhùcè 등록하다, 가입하다 ㅣ FB 'Facebook'의 줄임말

 0908

推特登不上了。
Tuītè dēngbushàng le.

推特 Tuītè '트위터(Twitter)'의 중국 명칭 ㅣ 登 dēng '登录(로그인하다)'에서 '录'를 생략함 ㅣ
不上 bushàng ~못하다

 0909

打不开YouTube。
Dǎbukāi YouTube.

打不开 dǎbukāi 열리지 않다, 열 수 없다

 0910

我也开了微博。
Wǒ yě kāile Wēibó.

微博 Wēibó 웨이보, 중국판 트위터라 불리는 중국의 SNS

237

0906

중국은 페이스북이 막혀 있어요

페이스북이 안 돼.

0907

새로 가입한 SNS를 이야기할 때

방금 페북 가입했어.

0908

트위터·유튜브·인스타그램도 막혀 있죠

트위터 로그인이 안 돼.

0909

중국의 유튜브인 '忧酷(Youku)'가 있어요

유튜브가 안 열려.

0910

중국 친구를 사귀려면 웨이보를 적극 활용!

나도 웨이보 시작했어.

🎧 0911~0915.mp3

加我吧。
Jiā wǒ ba.

加 jiā 더하다, 첨가하다

要互加吗?
Yào hù jiā ma?

互 hù 서로(=互相)

我关注你了。
Wǒ guānzhù nǐ le.

关注 guānzhù SNS에서 '팔로우(follow, 친구 추가)'를 의미

关注我吧。
Guānzhù wǒ ba.

互粉吧。
Hùfěn ba.

'互粉'은 '서로(互相)'의 '팔로워(粉丝)'가 되자는 말을 줄인 표현이다.

0911 ☐ ☐ ☐

SNS 친구 추가를 요청할 때

나 추가해.

0912 ☐ ☐ ☐

서로 추가하고 싶을 때

서로 추가할래?

0913 ☐ ☐ ☐

트위터나 웨이보에서 팔로우했을 때

나 너 팔로우했어.

0914 ☐ ☐ ☐

상대방이 나를 팔로우해 주길 바랄 때

나 팔로우해 줘.

0915 ☐ ☐ ☐

서로 팔로우(서로이웃)하길 원할 때

맞팔하자.

🎧 0916~0920.mp3

02 | SNS 할 때

0916

私信我吧。
Sīxìn wǒ ba.

私信 sīxìn 개인 메시지

0917

发语音吧。
Fā yǔyīn ba.

语音 yǔyīn 말소리. SNS에서 보내는 음성 메시지

0918

怎么加标签?
Zěnme jiā biāoqiān?

标签 biāoqiān 태그. 라벨. 꼬리표

0919

扫一扫二维码。
Sǎo yi sǎo èrwéimǎ.

扫 sǎo 스캐닝하다(=扫描) | 二维码 èrwéimǎ QR코드

0920

帐号(账号)被盗了。
Zhànghào bèi dào le.

被盗 bèi dào 도난 당하다. 도둑 맞다

0916

웨이보 등에서 보내는 개인 메시지

개인 쪽지 보내.

0917

위챗에서는 음성 메시지도 잘 쓰여요

음성 메시지 보내.

0918

인스타나 페북할 때 해시태그는 필수

해시태그 어떻게 달지?

0919

위챗은 QR코드로 친구 추가를 하기도 해요

QR코드 스캔해 봐.

0920

누군가 내 아이디를 도용했을 때

아이디 해킹 당했어.

🔊 0921~0925.mp3

0921

Ins终于更新了。

Ins zhōngyú gēngxīn le.

更新 gēngxīn 새롭게 바뀌다, 업데이트하다

0922

发了一张照片。

Fāle yì zhāng zhàopiàn.

0923

求评论~

Qiú pínglùn~

评论 pínglùn (인터넷상에서) 댓글, 리플

0924

请转发。

Qǐng zhuǎnfā.

转发 zhuǎnfā 퍼가다, 전달하다

0925

喜欢点个赞。

Xǐhuan diǎn ge zàn.

点赞 diǎnzàn SNS에서 '좋아요'를 누르다, '공감'을 누르다

0921

중국 친구들은 인스타그램을 주로 'Ins'라고 표현해요

인스타 드디어 업뎃!

0922

SNS에 사진을 올렸을 때

사진 한 장 올렸어.

0923

'评论' 대신 '留言'으로 댓글을 표현하기도 해요

댓글 좀~

0924

리트윗·퍼가기 해 달라고 요청할 때

공유해 주세요.

0925

공감을 바랄 때

맘에 들면 '좋아요' 눌러 주세요.

🎧 0926~0930.mp3

0926

我拉黑他了。

Wǒ lāhēi tā le.

拉黑 lāhēi 전화나 메신저에서 수신 차단하는 것. '拉到黑名单(블랙리스트에 넣다)'을 줄인 표현

0927

不要在意恶意留言。

Búyào zàiyì èyì liúyán.

恶意留言 èyì liúyán 악성 댓글, 악플

0928

顶!

Dǐng!

顶 dǐng 최고점, 꼭대기, (SNS상에서) 추천, 공감

0929

狂顶!

Kuángdǐng!

狂 kuáng 맹렬하다, 격렬하다

0930

沙发!

Shāfā!

'沙发'는 본래 '소파'라는 뜻이지만, SNS에서는 첫 번째로 댓글을 단 사람 혹은 행위를 의미한다.
영어 'so fast'와 발음이 비슷한 데에서 생겨났다.

245

0926

수신 거부나 차단을 한 경우

나 그 사람 차단했어.

0927

악플 때문에 힘들어 하는 사람에게

악플 신경 쓰지 마.

0928

'지지한다'는 의미로

추천!(공감!)

0929

'격하게 지지한다'는 의미로

강추!(완전 공감!)

0930

2빠는 '椅子(의자)', 3빠는 '板凳(등받이 없는 의자)',
4빠는 '地板(바닥)'으로 표현한다는 재미난 사실!

1빠!

☐ ☐ ☐

(0931)

表!
Biǎo!

'不要(싫어/안 돼/하지 마)'를 빠르게 읽으면 발음이 비슷해서 생겨났다.

☐ ☐ ☐

(0932)

酱紫
jiàngzǐ

'这样子(이렇게/그렇구나)'의 남방 사투리에서 인용된 표현이다.

☐ ☐ ☐

(0933)

造
zào

'知道(알다)'를 의미하는 표현으로,
어느 대만 드라마에 나왔던 대사를 대륙 드라마에서 대만식 억양을 담아 재미있게 발음한 데에서 생겨났다.

☐ ☐ ☐

(0934)

稀饭
xīfàn

본래 죽의 한 종류를 의미하는 단어나,
'喜欢(좋아하다)'과 발음이 비슷한 데에서 인용되어, 자주 쓰이게 되었다.

☐ ☐ ☐

(0935)

有木有?
Yǒu mù yǒu?

'有没有(그치?/그래 안 그래?)'와 발음이 비슷한 데에서 인용된 표현으로, 주로 감정을 강력하게 나타낼 때 쓴다.

0931

□ □ □

싫엉! 안 됑!

하지 망!

0932

□ □ □

'酱紫(글쿠낭)', '不要酱紫(이러케 하지 마)'

이러케

0933

□ □ □

'你造吗?(너 아라?)'가 특히 자주 쓰여요

아라

0934

□ □ □

'我稀饭你(널 조아해)'

조아해

0935

□ □ □

'그래 안 그래?!'의 뉘앙스로

그칭?

🎧 0936~0940.mp3

0936

☐ ☐ ☐

盆友
pényǒu

'朋友(친구)'에서 인용된 표현으로, 인터넷에서 고수들이 새내기를 일컬어 '小盆友(小朋友, 꼬마)'라고 부르면서 생겨났다.

0937

☐ ☐ ☐

童鞋
tóngxié

본래 '아이의 신발'을 의미하나, '同学(학생, 동창)'와 발음이 비슷한 데에서 인용되어 귀여운 말투로 쓰인다.

0938

☐ ☐ ☐

神马?
Shén mǎ?

'什么(무엇, 뭐)'를 빠르게 입력하다 오타가 난 데에서 생겨났다.

0939

☐ ☐ ☐

灰常
huīcháng

'非常(매우, 너무)'을 의미하는 표현으로, 사투리에서 인용되었다.

0940

☐ ☐ ☐

鸭梨
yālí

본래 '오리배'를 의미하는 과일 명칭이나, '压力(스트레스)'와 발음이 비슷한 데에서 자주 쓰이기 시작했다.

0936

'男盆友(남자 칭구)', '女盆友(여자 칭구)'도 자주 쓰여요

칭구

0937

손발 오글 주의

학쌩

0938

이 단어 때문에 '神马都是浮云(다 부질없다/허무하다)'라는 표현이 유행하기도 했어요

머?

0939

'灰常灰常好(넘넘 좋아요)'

넘

0940

'鸭梨山大(스뚜레스 만땅)'

스뚜레스

☐ ☐ ☐

88
bābā

'拜拜(바이바이, bye–bye)'와 발음이 비슷한 데에서 나온 표현으로, 채팅을 마칠 때 인사말로 잘 쓰인다.

☐ ☐ ☐

886
bābāliù

'拜拜'에 '喽'를 붙인 말에서 나온 표현으로, 위의 88보다 조금 더 귀여운 느낌이다.

☐ ☐ ☐

7456
qīsìwǔliù

'气死我了(열 받아 죽겠어)'와 발음이 비슷한 데에서 나온 표현이다.

☐ ☐ ☐

520
wǔ'èrlíng

'我爱你(사랑해)'와 발음이 비슷한 데에서 나온 표현이다.

☐ ☐ ☐

555
wǔwǔwǔ

우는 소리 '呜呜呜(엉엉엉)'와 발음이 비슷한 데에서 나온 표현이다.

0941

SNS에서 대화를 마칠 때

빠빠이

0942

조금 더 귀엽게

빠이빠이당

0943

짜증 나고 화날 때

열 받네

0944

숫자로 마음 전하기

사랑해

0945

ㅠㅠ

엉엉엉

네이티브들이 매일 쓰는
이 중국어, 무슨 뜻일까요?

☐ ☐ ☐

3Q!
SānQ!

영어 'Thank you'에서 나온 표현이다.

☐ ☐ ☐

这是PS的吧。
Zhè shì PS de ba.

PS는 'Photoshop(포토샵)'의 영문을 줄여서 표현한 말이다.

☐ ☐ ☐

卡哇伊~
Kǎwāyī~

'귀엽다'는 의미의 일본어 '가와이(かわいい)'를 중국어로 발음한 것이다.

☐ ☐ ☐

期待ing。
Qīdài ing.

진행 중인 동사 뒤에 영어 '~ing'를 붙인 표현이다.

☐ ☐ ☐

亲~
Qīn~

인터넷 쇼핑몰 '淘宝网(타오바오)'에서 판매자가 구매자를 친근하게 부를 때 사용한 데에서 유래되었다.

0946

☐ ☐ ☐

SNS에서 고마움을 표현할 때

쌩유!

0947

☐ ☐ ☐

'S'를 생략하고 '这是P的吧'로 쓰기도 해요

이거 뽀샵이지?

0948

☐ ☐ ☐

너무 귀여울 땐 영어를 붙여 'so卡哇伊'로도 써요

카와이~

0949

☐ ☐ ☐

'感动ing(감동 중)', '减肥ing(다이어트 중)'

기대 중.

0950

☐ ☐ ☐

'亲们(님들)'도 자주 써요

님~

망각방지 장치 1

하루만 지나도 학습한 내용의 50%가 머릿속에서 도망가 버린다는 사실! 과연 여러분은? 5분 안에 아래의 25개를 말해 보세요. 아침에 한 번 했다면, 저녁에 또 한 번!

○　✕　복습

01 위챗 아이디 뭐야?	微信	是多少?	☐ ☐ 0902
02 방금 카톡 깔았어.	刚刚	了KakaoTalk。	☐ ☐ 0904
03 페이스북이 안 돼.		不了脸书。	☐ ☐ 0906
04 방금 페북 가입했어.	刚刚	了FB。	☐ ☐ 0907
05 나도 웨이보 시작했어.	我也	了微博。	☐ ☐ 0910
06 나 추가해.		我吧。	☐ ☐ 0911
07 내가 너 팔로우했어.	我	你了。	☐ ☐ 0913
08 맞팔하자.		吧。	☐ ☐ 0915
09 개인 쪽지 보내.		我吧。	☐ ☐ 0916
10 음성 메시지 보내.	发	吧。	☐ ☐ 0917
11 해시태그 어떻게 달지?	怎么加	?	☐ ☐ 0918
12 QR코드 스캔해 봐.	扫一扫	。	☐ ☐ 0919
13 아이디 해킹 당했어.	帐号	了。	☐ ☐ 0920

정답 01 号 02 下载 03 上 04 注册 05 开 06 加 07 关注 08 互粉 09 私信 10 语音 11 标签 12 二维码 13 被盗

14 인스타 드디어 업뎃! | Ins终于 | 了。☐ ☐ `0921`

15 댓글 좀~ | 求 | ～ ☐ ☐ `0923`

16 공유해 주세요. | 请 | 。☐ ☐ `0924`

17 나 그 사람 차단했어. | 我 | 他了。☐ ☐ `0926`

18 악플 신경 쓰지 마. | 不要 | 恶意留言。☐ ☐ `0927`

19 추천!(공감!) | ！☐ ☐ `0928`

20 1빠! | ！☐ ☐ `0930`

21 조아해 | ☐ ☐ `0934`

22 스뚜레스 | ☐ ☐ `0940`

23 이거 뽀샵이지? | 这是 | 的吧。☐ ☐ `0947`

24 기대 중 | ing。☐ ☐ `0949`

25 님~ | ～ ☐ ☐ `0950`

맞은 개수: 25개 중 ＿＿개

당신은 그동안 ＿＿＿%를 잊어버렸습니다.
틀린 문장들은 다시 한번 보고 넘어가세요.

0951

□ □ □

前任
qiánrèn

본래는 전임, 선임을 의미하나, 커플 사이에서는 전 애인 혹은 전 배우자를 뜻한다.

0952

□ □ □

备胎
bèitāi

본래는 스페어 타이어를 의미하나,
최근 '애인은 아니나 후보용으로 두는 상대'를 가리키는 말로 자주 쓰인다.

0953

□ □ □

渣男
zhānán

渣 zhā 찌꺼기, 부스러기

0954

□ □ □

屌丝
diǎosī

돈도, 외모도, 집안도, 비전도 없는 사람을 의미한다.

0955

□ □ □

富二代
fù'èrdài

富 fù 재산이 많다, 부유하다 | 二代 èrdài 2대, 2세

257

0951

☐ ☐ ☐

현재의 애인 혹은 배우자는 '现任'으로 표현해요

전 애인

0952

☐ ☐ ☐

말하자면 어장 속 물고기?

보험용 애인

0953

☐ ☐ ☐

여자는 '渣女'나 자주 쓰이진 않아요

쓰레기 같은 남자

0954

☐ ☐ ☐

남자는 '男屌丝', 여자는 '女屌丝'

루저

0955

☐ ☐ ☐

상대적인 의미로 '贫二代(가난을 대물림 받은 2세)'도 생겼어요

재벌 2세

0956

□ □ □

女汉子
nǚhànzi

보이시하고 남자 같은 성향을 가진 여자를 가리킨다.

0957

□ □ □

干物女
gānwùnǚ

일본 드라마 〈호타루의 빛〉에서 나온 말로, 연애보다는 집에서 혼자 빈둥거리기를 좋아하는 여자를 가리킨다.

0958

□ □ □

拜金女
bàijīnnǚ

물질을 매우 중시하는 여자를 가리키는 말로, 우리식으로는 '된장녀' 정도로 표현할 수 있다.

0959

□ □ □

剩女
shèngnǚ

고학력에 고수입, 괜찮은 외모를 갖고 있으나, 결혼 적령기에도 미혼으로 남아 있는 여자를 가리킨다.

0960

□ □ □

剁手族
duòshǒuzú

쇼핑을 또 하면 손목을 자르겠다고 다짐할 만큼, 쇼핑에 중독되어 있는 사람을 가리키는 신조어이다.

0956 ☐ ☐ ☐

사나이·사내대장부는 '男子汉'

여장부

0957 ☐ ☐ ☐

'鱼干女'라고도 해요

건어물녀

0958 ☐ ☐ ☐

남자는 '拜金男'이라고 하나 자주 쓰진 않아요

된장녀

0959 ☐ ☐ ☐

남자는 '剩男'으로 표현해요

골드미스

0960 ☐ ☐ ☐

'剁手党'이라는 말로도 자주 써요

쇼핑 중독자

0961

吃货
chīhuò

먹는 걸 좋아하고 즐기는 사람을 가리킨다.

0962

学霸
xuébà

'공부의 왕'이라는 말로, 공부를 좋아하고 성적도 좋은 사람을 가리킨다.

0963

青蛙 / 恐龙
qīngwā / kǒnglóng

'青蛙'는 본래 청개구리를 의미하나, 인터넷 용어로 못생긴 남자를 가리킨다.
'恐龙'은 본래 공룡을 의미하나, 인터넷 용어로 못생긴 여자를 가리킨다.

0964

高富帅 / 白富美
gāofùshuài / báifùměi

'高富帅'는 키 크고(高), 돈 많고(富), 잘생긴(帅) 남자를 가리키는 표현이다.
'白富美'는 하얗고(白), 돈 많고(富), 예쁜(美) 여자를 가리키는 표현이다.

0965

宅男 / 宅女
zháinán / zháinǚ

'宅'는 본래 댁, 집 등을 의미하나, '종일 집에 틀어박혀 있다'는 뜻도 갖고 있다.

0961

좋게 말하면 미식가!

먹보

0962

반대로 공부에 관심 없고, 못하는 사람은 '学渣'

공신

0963

남자는 청개구리, 여자는 공룡으로 기억

남자 폭탄 / 여자 폭탄

0964

엄마가 늘 얘기하는 다른 집 아들·딸

엄친아 / 엄친딸

0965

이불 밖은 위험해

집돌이 / 집순이

萌萌哒!
Méngméng dā!

萌 méng '귀엽다'는 의미의 신조어 ｜ 哒 dā '的+啊'의 연음과 비슷해서 대체된 단어

么么哒!
Meme dā!

么么 meme 뽀뽀 소리를 나타날 때 쓰는 의성어

棒棒哒!
Bàngbàng dā!

美美哒!
Měiměi dā!

帅帅哒!
Shuàishuài dā!

263

0966 ☐ ☐ ☐

너무 귀엽다는 걸 표현하고 싶을 때

귀요미!

0967 ☐ ☐ ☐

애정 혹은 친근함을 귀엽게 표현할 때

뽀뽀 쪼옥!

0968 ☐ ☐ ☐

최고라는 뜻을 귀엽게 표현할 때

짱이당!

0969 ☐ ☐ ☐

예쁘다는 뜻을 귀엽게 표현할 때

예쁘당!

0970 ☐ ☐ ☐

멋있다(잘생겼다)는 뜻을 귀엽게 표현할 때

멋있당!

🎧 0971~0975.mp3

0971 ☐ ☐ ☐

什么鬼?
Shénme guǐ?

남방 사투리로 '어떻게 된 일이냐/이게 무슨 일이냐'의 의미를 갖고 있다.
이해 불가한 사물을 보았거나, 호기심을 나타낼 때 감탄의 느낌을 담아 쓴다.

0972 ☐ ☐ ☐

人干事?
Rén gàn shì?

'这是人干的事吗?(이게 사람이 할 일인가?)'의 줄임말로,
투덜대고 싶을 때 혹은 엄청 힘든 일을 해낸 사람을 향해 찬탄의 의미를 담아 쓴다.

0973 ☐ ☐ ☐

吓死宝宝了。
Xiàsǐ bǎobǎo le.

'吓死我了(놀랐잖아)'라는 표현에서 '我'를 '宝宝(귀염둥이, 애기)'로 바꾸면서 유행어가 되었다.
귀여운 척하며 놀랄 때 쓴다.

0974 ☐ ☐ ☐

也是醉了。
Yě shì zuì le.

'醉了'는 본래 취했다는 뜻이지만, '也是醉了'가 유행어로 쓰일 때는 이해 불가한 사람 혹은 사물을 나타내거나,
어이없고 이해할 수 없는 상황에 답답함을 나타낼 때 쓴다.

0975 ☐ ☐ ☐

怪我咯?
Guài wǒ lo?

'难道怪我吗?(설마 날 탓하는 거야?)'라는 뜻을 갖고 있다.
아무 죄가 없다는 듯한 얼굴로 상대방에게 반격할 때 주로 쓴다.

0971 ☐ ☐ ☐

이해할 수 없고 어이없는 상황에

뭥미?

0972 ☐ ☐ ☐

'이건 사람이 할 짓이 아니다'라는 뉘앙스로

사람이 할 짓임?

0973 ☐ ☐ ☐

손발 오글 주의

애기 놀랬졍.

0974 ☐ ☐ ☐

보통 '我也是醉了'라고 많이 써요

참 할 말이 없다.

0975 ☐ ☐ ☐

'날 탓하면 안 되지'의 뉘앙스로

내 탓임?

🎧 0976~0980.mp3

(0976)

☐ ☐ ☐

无语了。
Wúyǔ le.

无语 wúyǔ 어이가 없다, 할 말이 없다

(0977)

☐ ☐ ☐

给力!
Gěi lì!

본래 북방 사투리였으나, 일본 애니메이션 〈서유기〉 중문판에서 대사로 쓰이면서 유행하였다.
'최고다', '강하다', '대단하다' 등을 의미한다.

(0978)

☐ ☐ ☐

真是奇葩!
Zhēnshi qípā!

'奇葩'는 본래 진기하고 아름다운 꽃을 의미하나,
인터넷에서 유행하면서, 이상하고 기이한 사람 혹은 일을 묘사하는 말로 쓰이고 있다.

(0979)

☐ ☐ ☐

Duang~

성룡이 샴푸 광고에서 '짜잔~' 정도의 느낌으로 썼던 말이다.
훗날 과대 광고였다는 사실이 드러나, 네티즌 사이에서 풍자하듯 유행어로 자리 잡았다. '두앙'으로 읽는다.

(0980)

☐ ☐ ☐

杠杠的!
Gànggàng de!

'매우 좋다', '말이 필요없다' 등의 의미를 갖고 있는 동북 사투리다.

0976

유아인의 표정을 떠올리며

어이가 없네.

0977

좋지 않은 상황·상태일 때는 '不给力'

대박!(짱!)

0978

보기 드물 만큼 기이하고 개성 있을 때

진짜 엽기다!

0979

효과음 넣듯이 쓰거나 '좋다'는 의미로도 활용해요

짠~(두둥~)

0980

'味道杠杠的(냄새 좋구먼)', '效果杠杠的(효과 좋구먼)'

좋구먼!

0981

也是蛮拼的。
Yě shì mán pīn de.

'蛮'은 '很(아주)'의 의미를 가진 방언이고, '拼'은 '필사적으로 하다'라는 뜻이다.
중국판 〈아빠 어디가〉에서 '열심히 했으나 성공하지 못한 상황'에 위 표현이 쓰이면서 유행어가 되었다.

0982

有钱，任性!
Yǒu qián, rènxìng!

'任性'은 제멋대로 행동하는 것을 의미한다.
가진 게 많은 사람이 돈만 믿고 하는 행동을 풍자하는 표현으로, 한때 인터넷을 휩쓴 유행어.

0983

你家里人知道吗?
Nǐ jiālirén zhīdào ma?

어느 네티즌이 비꼬듯 풍자하는 의미를 담아 사용했던 말로, 그 후 널리 퍼지면서 유행어가 되었다.
보통 '你这么xx, 你家里人知道吗?(너 이렇게 xx한 거, 가족들이 아니?)' 형태로 쓰인다.

0984

请允悲。
Qǐng yǔn bēi.

'请允许我做一个悲伤的表情(내가 슬픈 표정을 짓도록 허락해 주세요)'의 줄임말로,
상대방의 얘기에 속으로는 웃긴데 웃음을 참아야 할 때 쓴다.

0985

何弃疗?
Hé qì liáo?

'为何放弃治疗?(어째서 치료를 포기하는가?)'의 줄임말로,
상대방이 이해할 수 없는 행동을 했을 때 '약 먹어야겠다'는 뉘앙스로 쓴다.

0981

열심히 했으나 성공하지 못했을 때

나름 할 만큼 했어.

0982

허세 작렬, 갑질하는 사람들을 비꼬며 풍자할 때

돈 많은데 뭔들 못해!

0983

앞의 말을 강조하는 뉘앙스로

가족들이 아니?

0984

상대방을 위해 애써 웃음을 참아야 하는 상황에서

나 좀 울게 해 주라.

0985

'제정신 아니네, 너 치료 좀 받아야겠다'는 뉘앙스로

왜 치료를 포기하니?

0986~0990.mp3

(0986)

我是来打酱油的。

Wǒ shì lái dǎjiàngyóu de.

'打酱油'는 본래 '간장을 사다'라는 뜻이나,
최근 인터넷상에서 마치 지나가는 행인인 듯 '나와는 상관없다'라는 의미로 쓰인다.

(0987)

我伙呆。

Wǒ huǒ dāi.

'我和小伙伴们都惊呆了(나와 친구들 모두 놀라 어리둥절했다)'의 줄임말로,
무척 놀라고 당황했음을 나타낼 때 쓴다.

(0988)

这是什么东东?

Zhè shì shénme dōngdōng?

'东东'은 '물건'을 의미하는 '东西'를 귀엽게 표현한 인터넷 용어다.

(0989)

～的节奏。

~de jiézòu.

'节奏'는 본래 '리듬, 박자'를 뜻하나,
인터넷에서 'XX的节奏' 형태로 쓰이면, 일의 진행 방향, 추세, 상태를 의미한다.

(0990)

爱老虎油!

Ài lǎo hǔ yóu!

영어 'I love you' 발음을 중국어로 음역한 것이다.

0986

☐ ☐ ☐

'난 아무 상관없는 사람인데요?'의 느낌으로

난 그냥 행인일 뿐.

0987

☐ ☐ ☐

나도, 친구들도 다 놀랐을 만큼

놀랄 노자네.

0988

☐ ☐ ☐

한껏 귀여운 얼굴로

이게 모야?

0989

☐ ☐ ☐

우리 말로는 '~할 기세/~할 지경'으로 표현할 수 있어요

~할 기세.

0990

☐ ☐ ☐

귀엽게 애정 표현하기

알라뷰!

🎧 0991~0995.mp3

0991

累觉不爱。
Lèijuébú'ài.

'很累，感觉自己不会再爱了(힘들어, 더 이상 사랑 못할 것 같아)'를 사자성어처럼 줄인 표현으로,
최근에는 받아들여지지 않는 일이나 어떻게 해도 바꿀 수 없는 일에, 답답하고 피곤한 마음을 표현할 때 쓰기도 한다.

0992

说闹觉余。
Shuōnàojuéyú.

'其他人有说有笑有打有闹，感觉自己很多余(다들 시끌벅적 웃고 떠드는데, 나만 군더더기 같아)'를
줄인 표현으로, 모두 즐거워 보이는 것에 왠지 소외감을 느낄 때 쓴다.

0993

人艰不拆。
Rénjiānbùchāi.

'人生已经如此的艰难，有些事情就不要拆穿(안 그래도 고달픈 인생이니, 가끔은 들춰내지 말고 두자)'를
줄인 표현으로, 어떤 일의 진상을 들춰냄으로써 상대방을 순간 감당할 수 없게 만드는 상황에 주로 쓰이곤 한다.

0994

十动然拒。
Shídòngránjù.

'十分感动，然后拒绝了他(무척 감동 받고는, 끝내 거절했다)'를 줄인 표현으로, 한 남학생이 좋아하는 여학생에게
16만 자에 이르는 연애 편지를 보내 감동을 주었지만, 끝내 거절 당한 사연에서 유행어로 자리 잡았다.

0995

不明觉厉。
Bùmíngjuélì.

'虽然不明白，但是感觉很厉害(잘 이해는 안 가지만, 대단한 것 같다)'를 줄인 표현으로,
주성치 주연의 영화 〈식신(食神)〉 속 대사에서 유래되었다.

0991

힘들고 피곤해서 더 이상은 못하겠다는 뉘앙스로

이제 다시 사랑 안 해.

0992

SNS를 보며 소외감을 느낄 때도 써요

다들 즐거운데 나만 혼자인 듯.

0993

굳이 들추지 말고 그냥 넘어가자는 느낌으로

안 그래도 고달픈 인생, 그냥 좀 두자!

0994

감동만 주고 결국 거절 당한 심정을 자조적으로 표현할 때

감동만 주고 돌아온 건 거절일세.

0995

전문적이고 심오한 상황 혹은 이야기에

잘 모르겠지만 암튼 좀 짱인 듯.

🎧 0996~1000.mp3

0996

☐ ☐ ☐

哈哈
hāhā

0997

☐ ☐ ☐

嘿嘿
hēihēi

0998

☐ ☐ ☐

嘻嘻
xīxī

0999

☐ ☐ ☐

呵呵
hēhē

평범한 웃음 소리에 해당하나. 최근에는 대화하고 싶지 않은 상대방의 메시지에 대충 대답하듯 보내는 일이 잦아지면서 '가상 상처 주는 용어'로 꼽히기도 했다. 그러므로 대화 중 너무 자주 쓰면 상대방에게 오해를 살 수 있으므로 주의한다.

1000

☐ ☐ ☐

呜呜
wūwū

0996

☐ ☐ ☐

호탕하고 시원스럽게

하하

0997

☐ ☐ ☐

귀엽고 장난스럽게

헤헤

0998

☐ ☐ ☐

한껏 신나서 즐겁게

히히

0999

☐ ☐ ☐

너무 잦은 사용은 금물

허허

1000

☐ ☐ ☐

ㅠ_ㅠ

엉엉(흑흑)

망각방지 장치 1

하루만 지나도 학습한 내용의 50%가 머릿속에서 도망가 버린다는 사실! 과연 여러분은? 5분 안에 아래의 25개를 말해 보세요. 아침에 한 번 했다면, 저녁에 또 한 번!

		○	×	복습
01 전 애인				0951
02 루저				0954
03 재벌 2세	富			0955
04 골드미스	女			0959
05 먹보				0961
06 엄친아				0964
07 뽀뽀 쪼옥!	哒!			0967
08 짱이당!	哒!			0968
09 뭥미?	什么 ?			0971
10 애기 놀랬정.	吓死 了。			0973
11 어이가 없네.	了。			0976
12 진짜 엽기다!	真是 !			0978
13 나름 할 만큼 했어.	也是蛮 的。			0981

정답 01 前任 02 屌丝 03 二代 04 剩 05 吃货 06 高富帅 07 么么 08 棒棒 09 鬼 10 宝宝
11 无语 12 奇葩 13 拼

14	돈 많은데 뭔들 못해!	有钱,	! ☐ ☐	`0982`
15	나 좀 울게 해 주라.	请允	。 ☐ ☐	`0984`
16	왜 치료를 포기하니?		弃疗? ☐ ☐	`0985`
17	난 그냥 행인일 뿐.	我是来打	的。 ☐ ☐	`0986`
18	이게 모야?	这是什么	? ☐ ☐	`0988`
19	알라뷰!		老虎油! ☐ ☐	`0990`
20	이제 다시 사랑 안 해.		觉不爱。 ☐ ☐	`0991`
21	다들 즐거운데 나만 혼자인 듯.	说闹觉	。 ☐ ☐	`0992`
22	안 그래도 고달픈 인생, 그냥 좀 두자!	人	不拆。 ☐ ☐	`0993`
23	감동만 주고 돌아온 건 거절일세.	十动然	。 ☐ ☐	`0994`
24	잘 모르겠지만 암튼 좀 짱인 듯.		明觉厉。 ☐ ☐	`0995`
25	하하		☐ ☐	`0996`

맞은 개수: **25개 중** _____ **개**

당신은 그동안 _____ %를 잊어버렸습니다.
틀린 문장들은 다시 한번 보고 넘어가세요.

정답 14 任性 15 悲 16 何 17 酱油 18 东东 19 爱 20 累 21 余 22 艰 23 拒 24 不 25 哈哈

091 SNS 친구 맺을 때   huihua 091.mp3

A   你玩微信吗? 나 추가해.⁰⁹¹¹
   Nǐ wán Wēixìn ma?

B   我玩KakaoTalk，你没有KakaoTalk账号吗?
   Wǒ wán KakaoTalk, nǐ méiyǒu KakaoTalk zhànghào ma?

A   방금 KakaoTalk 깔았어.⁰⁹⁰⁴

B   告诉我你的账号吧。
   Gàosu wǒ nǐ de zhànghào ba.

092 서로의 웨이보를 팔로우할 때   huihua 092.mp3

A   你玩脸书吗?
   Nǐ wán Liǎnshū ma?

B   不玩，中国페이스북이 안 돼.⁰⁹⁰⁶ 我玩微博。
   Bù wán, Zhōngguó   Wǒ wán Wēibó.

A   我也开了微博!
   Wǒ yě kāile Wēibó!

B   是吗? 맞팔하자.⁰⁹¹⁵
   Shì ma?

A 너 위챗 해? **加我吧。**⁰⁹¹¹
   Jiā wǒ ba.

B 나 카카오톡 해, 너 카카오톡 아이디 없어?

A **刚刚下载了** ⁰⁹⁰⁴ 카톡.
   Gānggāng xiàzǎile

B 네 아이디 알려 줘.

A 너 페이스북 해?

B 아니, 중국은 **上不了脸书。**⁰⁹⁰⁶ 나는 웨이보 해.
   shàngbuliǎo Liǎnshū.

A 나도 웨이보 시작했어!

B 그래? **互粉吧。**⁰⁹¹⁵
   Hùfěn ba.

🎧 huihua 093.mp3

A Ins好玩儿吗?

Ins hǎo wánr ma?

B 还好，我刚刚사진 한 장 올렸어. 0922

Háihǎo, wǒ gānggāng

A 哦，我看看。

Ò, wǒ kànkan.

B 맘에 들면 '좋아요' 눌러 줘! 0925

🎧 huihua 094.mp3

A 那个疯子又给你留言了?

Nàge fēngzi yòu gěi nǐ liúyán le?

B 是啊，气死我了。

Shì a, qìsǐ wǒ le.

A 哎，他真无聊。你악플 신경 쓰지 마. 0927

Ài, tā zhēn wúliáo.　　Nǐ

B 没事，나 그 사람 차단했어. 0926

Méishì,

● 疯子 fēngzi 미치광이, 사이코

281

A 인스타그램 재밌어?

B 그런대로, 나 방금 **发了一张照片。** 0922
　　　　　　　　　　　fāle yì zhāng zhàopiàn.

A 오, 한번 볼게.

B **喜欢点个赞!** 0925
　Xǐhuan diǎn ge zàn!

A 그 사이코가 또 너한테 댓글 달았어?

B 그래, 열 받아 죽겠어.

A 에휴, 그 사람도 참 할 일 없다.

　너 **不要在意恶意留言。** 0927
　　búyào zàiyì èyì liúyán.

B 괜찮아, **我拉黑他了。** 0926
　　　　　wǒ lāhēi tā le.

A 你아라? 0933 老李喜欢数学老师。
　　Nǐ　　　　Lǎo Lǐ xǐhuan shùxué lǎoshī.

B 神马? 数学老师?
　　Shén mǎ? Shùxué lǎoshī?

A 对啊，灰常灰常喜欢她。
　　Duì a, huīcháng huīcháng xǐhuan tā.

B 无语了，그칭? 0935
　　Wúyǔ le,

● 数学 shùxué 수학

A 我喜欢上那个男生了。
　　Wǒ xǐhuanshàng nàge nánshēng le.

B 你说什么? 你疯了? 他是传说中的집돌이야! 0965
　　Nǐ shuō shénme? Nǐ fēng le? Tā shì chuánshuō zhōng de

A 你不要小看他，他可是공신이야。 0962
　　Nǐ búyào xiǎokàn tā, tā kěshì

B 学霸有什么了不起的!
　　Xuébà yǒu shénme liǎobuqǐ de!

● 传说中的 chuánshuō zhōng de 전설 속의, 말로만 듣던　小看 xiǎokàn 얕보다　了不起 대단하다

A 너 **造吗?** 0933 라오리가 수학 선생님 좋아해.
zào ma?

B 머? 수학 선생님?

A 그래, 넘넘 좋아해.

B 어이없다, **有木有?** 0935
yǒu mù yǒu?

A 나 저 남자애 좋아졌어.

B 뭐라고? 너 미쳤어? 쟤가 그 유명한 **宅男!** 0965
zháinán

A 너 쟤 무시하지 마, 그래도 저 사람 **学霸**. 0962
xuébà

B 공신이 뭐 대단하다고!

A 昨天那个人是谁？是你的男朋友吗？
Zuótiān nàge rén shì shéi? Shì nǐ de nán péngyou ma?

B 是的，帅吧？他是재벌 2세야! [0955]
Shì de, shuài ba? Tā shì

A 짱이당! [0968] 我以为你是干物女呢!
Wǒ yǐwéi nǐ shì gānwùnǚ ne!

B 才不是呢。
Cái bú shì ne.

A 情人节前一天分手，나도 참 할 말이 없다. [0974]
Qíngrén Jié qián yìtiān fēnshǒu,

B 他真的很任性啊。
Tā zhēnde hěn rènxing a.

A 算了，이제 다시 사랑 안 해. [0991]
Suànle,

B 你会找到更好的!
Nǐ huì zhǎodào gèng hǎo de!

A 어제 그 사람 누구야? 네 남자 친구야?

B 응, 멋있지? 그 사람 **富二代!**⁰⁹⁵⁵
　　　　　　　　　　　　 fù'èrdài

A **棒棒哒!**⁰⁹⁶⁸ 난 너 건어물녀인 줄 알았는데!
　 Bàngbàng dā!

B 아니거든.

A 밸런타인데이 하루 전 날 헤어지다니, **我也是醉了。**⁰⁹⁷⁴
　　　　　　　　　　　　　　　　　　　 wǒ yě shì zuì le.

B 그 사람 정말 제멋대로네.

A 됐어, **累觉不爱。**⁰⁹⁹¹
　 lèijuébú'ài.

B 더 좋은 사람 찾을 수 있을 거야!

A **你这么完美，가족들이 아니?** 0983
Nǐ zhème wánměi,

B **你千万不要这样，好吗?**
Nǐ qiānwàn búyào zhèyàng, hǎo ma?

A **我是真心的。你是我的公主啊!**
Wǒ shì zhēnxīn de. Nǐ shì wǒ de gōngzhǔ a!

B **你该吃药了，왜 치료를 포기하니?** 0985
Nǐ gāi chīyào le,

• **完美** wánměi 완벽하다, 흠잡을 데가 없다   **公主** gōngzhǔ 공주   **吃药** chīyào 약을 먹다

A **昨天你为什么没来?**
Zuótiān nǐ wèishénme méi lái?

B **啊，昨天我有事。**
Ā, zuótiān wǒ yǒu shì.

A **到底是什么事啊?**
Dàodǐ shì shénme shì a?

B **别问了嘛，안 그래도 고달픈 인생, 그냥 좀 둬라!** 0993
Bié wèn le ma,

A 너 이렇게 완벽한 거, **你家里人知道吗?** 0983
   nǐ jiālirén zhīdào ma?

B 제발 이러지마, 응?

A 난 진심이야. 넌 나의 공주라고!

B 너 약 먹어야겠다, **何弃疗?** 0985
   hé qì liáo?

A 어제 너 왜 안 왔어?

B 아, 어제 일이 있었어.

A 도대체 무슨 일인데?

B 묻지 말라니까, **人艰不拆!** 0993
   rénjiānbùchāi!

찾 아 보 기

289

중국어 회화 핵심패턴 233

패턴 233개만 알면 중국어 말문이 트인다!
입 트이기에 최적화된 구성으로
회화를 완벽하게 트레이닝 할 수 있습니다.

엄상천 저 | 296쪽 | 15,800원
부록: mp3 파일 무료 다운로드, 휴대용 소책자

첫걸음 | 초급 | 중급 | 고급

드라마 중국어회화 핵심패턴 233

임대근, 高瑜 저 | 304쪽 | 정가 15,800원
부록: 휴대용 소책자, 저자 음성 강의 및
mp3 파일 무료 다운로드

첫걸음 | 초급 | 중급 | 고급

비즈니스 중국어회화&이메일 핵심패턴 233

윤미희, 郭祎 저 | 288쪽 | 정가 15,800원
부록: 휴대용 소책자, mp3 파일 무료 다운로드

첫걸음 | 초급 | 중급 | 고급

중국에 간다면 꼭 챙겨야 할 단 한 권!

중국어 현지회화
무작정 따라하기

현지에서 바로 통하는 실전 회화만 모았다!

중국 여행과 출장에 딱 맞게 상황을 구성하여,
현지에서 바로 써먹을 수 있는 표현과 회화를 풍부하게 넣었다!

난이도	첫걸음 **초급** | **중급** 고급	기간	28일

대상	본격적인 회화를 연습하려는 초급 학습자, 중국 여행과 출장을 앞둔 초급자	목표	중국에서 쇼핑하기, 음식 주문하기 등 여행, 출장 회화 끝내기

출퇴근 시간, 점심 먹고 남는 시간만 투자하세요!
비즈니스 중국어
무작정 따라하기 - 첫걸음

송명식, 이태윤 지음 | 192쪽 | 13,000원

한 달이면 중국어로 일할 수 있다!

비즈니스 단어로 발음과 성조부터 실전 활용도 200% 표현만 익히니까
사무실에서, 미팅에서, 출장지에서 저절로 중국어가 튀어나온다!

난이도	**첫걸음** | **초급** | 중급 | 고급	기간	30일
대상	중국어를 처음 배우는 직장인, 취업 준비생, 대학생	목표	중국어 가벼운 대화하기, 실무에서 쓸 중국어 표현 익히기

네이티브가 매일 쓰는 이 말,
무슨 뜻일까요?

01 팬질할 때

A **一定要死守直播!**

B 당연하지!

▶ 정답은 203쪽에

02 면접 볼 때

A 본인의 장점은 무엇이라고 생각합니까?

B **我有上进心。**

▶ 정답은 77쪽에

03 아직은 썸 타는 사이

A **他们两个暧昧不清。**

B 헐, 대박사건!

▶ 정답은 15쪽에

04 SNS 할 때

A 어? 너도 블로그해?

B 너도? **互粉吧!**

▶ 정답은 239쪽에

네이티브는 쉬운 중국어로 말한다 – 1000문장 편
The Native Chinese Speaks Easily - 1000 Sentences

03720

9 791159 240430

ISBN 979-11-5924-043-0

값 **16,000원**